하루의 잔상- 쉼표

발 행 | 2024년 11월 15일
저 자 | 김훈진 강진영 김해리 최예명 강루치나 이은서 김태환 고지원 유채원
펴낸이 | 한건희
펴낸곳 | 주식회사 부크크
출판사등록 | 2014.07.15.(제2014-16호)
주 소 | 서울특별시 금천구 가산디지털1로 119 SK트윈타워 A동 305호
전 화 | 1670-8316
이메일 | info@bookk.co.kr

ISBN | 979-11-419-6486-3

www.bookk.co.kr

하루의 잔상

-쉼표

강진영   김해리   최예명

고지원   유채원

강루치나   이은서   김태환

김훈진　　최예진　　고유안

구서하　　강현근

서문

믿고 싶지 않은 순간들이 스쳐 가고
난 여전히 성장통을 겪고 있다.

-김한비, 「금붕어」

『열, 일곱』中

시계가 울린다. 세상을 찢으려는 듯이 울부짖는다.

사랑은 파편처럼 그 세상 밖으로 빠져나왔고

나는

한가운데 서서 무언가를 잃고 있다.

*

아침에 깨어난 것은 정말 오랜만이다. 멀쩡한 정신은 오래된 추억이다. 그래서 그런지, 어릴 적 향수는 향수(鄕愁)인 듯 밀려온다. 나는 정말 오래된 옛 친구, 이를테면 몇 년을 불우의 사고로 인해 떨어져 있던 일종의 나의 영혼의 단짝을 잃은 느낌이었다. 그러니 이 영겁의 세월을 뚫고 만난 이 기쁨을 어찌 표현할 수 있었을까.

나는 간만에 기지개를 쭉- 폈다. 그러고는 침대에 윗몸을 일으켜, 커튼에 가려져 있는 창문을 바라보았다. 커튼의 좁은 틈새 사이로는 가느다란 빛줄기가 하나 떨어져 내리고 있었다.

빛줄기는 두 가닥으로 나뉘어 내리고 있었다. 태양은 모든 것을 태워버리지 않을, 따뜻할 정도의 열정으로 빛을 내려주고 있었다. 그리고 그것은 기어코 내 방바닥에까지 이르렀다. 그것이 침입한 구역에는 먼지 같은 가루 몇 알이 공중으로 떠오르고 있었다.

-

　시계가 뚝-딱. 진동한다. 울린다? 무엇이 정확할지 모르겠다. 어떻게 표현해도 그것은 내 의도와 달리 받아들여질 것이 분명했다. 원래 모든 인간이 그렇듯이, 듣는 사람은 늘 무언가를 기대하고 있고, 그것을 말하지 않으면 귀를 닫기 마련이니까.

　그래서 나는 이제부터는 보이는 모든 것을 있는 그대로 말하기로 했다.

　시계가 울린다. 뚝딱. 바늘 둘은 서로 갈라져 있다. 그들은 평생을 떨어져 있다. 그러다 12시 가까이 되면 분침과 시침이 서로를 껴안는다. 12시에 도달하면 그들은 하나가 된다.

　딸깍.

　서로를 사랑하기라도 한다는 듯이,
　그들은 하나가 되었다.

　-그리고 다시

　그들은 서로를 아는 체하지도 않고 멀어져만 간다.

-

　종이비행기. 내가 초등학교 2학년 때였을까. 다른 애들은 그즈음에 모두 각자의 휴대폰을 가지고 있었는데, 나는 어떠한 이유에선지 가지고 있지 않았다. 돌이켜보면 휴대폰을 바라지도 않았고, 애초에 그 단어 자체가 내 머릿속에 없었던 것일지도 모른다.

나는 그 시절에 다른 누구와 약속을 잡기 어려웠다. 서로의 안부를 확인할 수도 없었고, 대화조차 직접 대면할 때가 아니면 할 수 없었기 때문이다. 그 당시 휴대폰을 가지고 있지 않던 이에게는 지극한 설움이었다. 그래서 나는 늘 '편지' 같은 거로 휴대폰을 대신하며, 적적한 마음을 달래기도 했다.

어느 날은, 친한 친구에게 편지를 보내려 했었다. 그런데 맨날 똑같은 용지에 똑같은 편지를 보내니……. 굉장히 심심했다. 신선한 어떤 것이 필요했다. 그래서 나는 그냥 평범한 A4 용지에 내 마음을 적어서 종이비행기 모양으로 접어 보았다. 꽤 그럴싸하고, 재미있었다.

그러나 여전히 부족한 면이 있는지, 내가 그 당시 좋아했던 친구는 내게 말했다.

"그림이라도…. 그려보는 건 어때?"

"나는 그림 잘 못 그리는데."

"그럼 내가 도와줄까?"

우리는 서로 종이비행기 꾸미기에 삼매경이었고, 어느 순간부터는 그림 그리는 것 자체에 대한 의미는 사그라들었다. 오히려 함께 무언가를 한다는 것에 의미와 깊은 애정이 생겼다.

훗날, 그것은 나의 소중한 추억으로 자리매김하게 되었다.

—

때로는 삶이 권태로울 때가 있었다. 때로는 삶이 가시처럼 따가울 때도 있었다.

소중한 사람과 이별을 했었다.
모든 것은 '위로'라는 단어에 중독되어서 그랬던 것 같다.

나는 나의 고통을 종이에다 일기처럼 털어놓는 버릇이 있었다. 그날도 여느 때와 다름없이 타인에 대한 망상을, 열등감을, 스스로에 대한 박탈감을 책상 위에 있는 종이 쪼가리 한구석에다 호소하여 놓았다. 옆에는 애인과 작년에 여행을 갔을 때 맞추었던 반지가 하나 놓여 있었다.

종이가 흑연으로 검게 물들어버릴 무렵, 그녀가 내 방 안으로 들어왔다. 그러고는 물었다.

"뭐 하고 있어??"

"그냥…. 매일 하는 거…."

나의 손은 덜덜 떨리고 있었다. 그녀는 그런 나의 손을 따뜻하게 자신의 손으로 포개고는, 내게 말했다.

"무슨 일인데."

나는 그녀의 눈을 마주치지도 못하고 고개를 내리깔았다. 한동안 침묵을 보였다. 손은 여전히 바람에 흔들리는 가시-나무처럼 덜덜 떨렸고, 그로 인해 그녀의 손도 천천히 흔들렸다. 나는 나지막이 말했다.

"안아줘."

그 말을 듣자마자, 그녀는 포개던 손을 풀고 내 머릿결을 쓰다듬었다. 머리카락끼리는 서로 엉켜 있어 완전히 상해 있었다. 그녀도 그것을 깨닫고는 다른 쪽 손으로 나의 오른쪽 뺨을 매만져주었다. 뺨은 얼음장처럼 차가웠다. 그러다 갑작스레 한 부분이 붉게 달아올랐는데, 그와 동시에 나의 뺨을 만지던 그녀의 손에는 무언가 한 방울이 떨어지고 있었다. 그것은 나의 눈물이었다.

나는 고개를 그녀의 품으로 숙이며 그녀의 따뜻한 가슴 안에 내 얼굴을 묻었다. 정말이지, 한겨울의 난로보다도 아늑하며 따뜻하던 품이었다.

나는 어린아이처럼 그녀에게 앵겼고, 그녀는 어머니처럼 세상에 서툰 어린애를 안아주었다.

나는 그녀의 향기와 온기를 더 느끼고 싶어서 양팔과 몸을 조금씩 움직이며 보금자리를 찾았다. 하지만 그 순간, 팔꿈치에 책상이 부딪쳤다. 챙-하고 무언가 떨어지는 소리가 들렸다.

그것은 반지였다.

반지는 조각나지는 않았지만, 오래된 반지라 금이 가고 말았다.

—

밤하늘에 한 줄기의 빛처럼 떠오른 별이 있었다. 나와 함께 어떤 소녀는 고개를 쳐들어 그것을 가만히 바라보았다. 그것은 아무 걱정 없이 빛을 내며, 이 세상 모든 것들을 밝게 물들이는 듯했다.

우리는 그것을 보며 마음 한쪽의 편안함을 느꼈다. 그러고는 밤의 어둠과 빛의 밝음을 동시에 얻었다.

—

소녀와는 여름날에, 자주 아이스크림을 먹곤 했다. 그녀는 특이한 취향이 있었는지, 막대 아이스크림보다는 통에 담긴 아이스크림을 좋아했다. 그래서 나는 종종 그녀의 집에 들어가기 전에 작은 통에 담긴 아이스크림을 하나씩 들고 가곤 했다.

그럴 때마다 그녀는 사랑스러운 모습으로 애교를 부리며 나를 맞이했으며, 내가 사 온 것을 남김없이 다 먹어치웠다. 나는 만족스러운 표정으로 그녀를 쓰다듬으며, 따로 사 온 나만의 막대 아이스크림을 꺼내 먹었다.

오늘도 여름날, 참 더운 날이다. 저녁 시간이 다 되어 간다. 그러나 그런데도 덥다. 나는 근처 편의점에서 아이스크림을 하나 샀다. 통에 담겨 있는 아이스크림 하나를.

그런데 이제, 그것을 먹을 사람이 없다.

－

　나는 기분 상하는 일이 있을 때마다 책방에 가곤 했다. 그녀와 함께 말이다. 그리고 굉장히 어두운 내용의 소설을 한 권 빌려 그것을 정독하였다. 물론 그녀는 그 소설이 어떤 내용이었는지는 몰랐다. 그저 내가 책을 읽는 모습을 유심히 바라보았을 뿐이다.

　지금도 나는 여전히 그 책방에 있다. 이번에도 늘- 똑같은 이유, 똑같은 핑계다. 마음이 아프다는 핑계다. 나는 한 발자국, 한 발자국 내디디며 책방의 소설 코너로 향한다. 소설 코너에는 외국 소설도 있고, 한국 소설도 있으며, 신간도 있다. 나는 신간 앞에서 발걸음을 멈춰 섰다. 그러고는 한참을 바라보다 기이한 책 한 권을 발견했다. 두 권으로 나누어져 있는 책이었다. 물론, (상)권, (하)권으로 나누어져 있는 책은 종종 있다. 그러나 이것은 단순히 그런 개념이 아니었다. 둘은 완전히 분리되어 있으면서도 합쳐져 있는 것처럼 보였고, 하나처럼 보이면서도 명백하게 다른 색깔을 지니고 있었다.

　내가 읽던 책은 늘 한 가지 색, 검은색으로 뒤덮여 있는 책이었다. 나는 그런 책을 읽는 편이 나았다. 오히려 나보다 더 불행한 이야기를 들으면 위안이 되어 마음이 편해지곤 했으니까.
　그런데 이 검은색-하얀색의 중간에 있는 책을 보니 기분이 기묘하다. 굳이 말하자면, 회색일까. 그런 빛깔을 띠는 책은 거의 처음 보는 것만 같았다. 그래서 나는 반은 호기심에, 반은 나에게 위로를 줄지도 모른다는 생각에 책을 집어 들었다.

　책은 상당히 얇았다. 그리고 오래된 것처럼, 매우 낡아 있었다. 300페이지도 안 되는 정도의 분량이었고, 표지에는 몇몇 캐릭터들이 그려져 있었다. 그 밑에는 작게나마 적혀 있었다.

『하루의 잔상』이라고.

목차

contents

제 3부

부록

제 1부

고래 김해리 최예명

여름과 가을의 추억을 간직한

삶을 살아가며 시간이 흘러도 잊히지 않는 이야기가 있다.
이 말을 생각하다 보면 아직도 '그때'의 기억이 떠오르곤 한다.
나와 그 아이의 추억을 간직하고 있는.
그해의 여름날이 내 마음속에 자리를 잡고 있다.

그리고….

'띠롱'

휴대폰에 알림음이 울린다. 백하의 문자다.

"가을아. 나 곧 한국으로 가"
"그래? 언제?"
"27일."

가을의 입가에 미소가 번진다.

"책방에서 기다릴게."

가을은 휴대폰을 챙겨 밖을 나섰다. 2학년이 되고 친구들이 생긴 이후 처음으로 책방을 간다. 책방의 모습은 변하지 않았다. 허름한 문을 열며 책방에 들어섰다.

커다란 거미줄 뒤, 책방 곳곳에 쌓인 먼지가 제일 먼저 눈에 보였다. 소파 위 먼지를 털며 가을은 앉았다. 책방의 특유한 냄새를 맡으며 가을은 저절로 평온해졌다.

'백하가 곧 오네.'

그 여름날을 장식해 준 네가 내게 오기 시작했다.

오늘은 가을의 첫 고등학교 여름 방학식 날이었다. 학교의 모든 복도와 교실은 곧 시작될 방학의 기쁨과 기대감으로 가득 차 있었으나, 1학년 5반의 교실 한구석, 창가에 앉아 있는 가을에게는 그 감정이 낯설기만 했다. 다른 학생들은 친구들과 함께 웃고 떠들며 방학 계획을 이야기하고 있었지만, 가을은 홀로 창밖을 바라보고 있었다. 교실 안에서는 선생님이 방학 인사를 전하고 있었고, 학생들은 저마다 생각에 잠겨 하루를 마무리하려 하고 있었다. 창문 너머로 느긋하게 불어오는 여름 바람은 가을의 긴 머리카락을 살며시 흔들었다.

가을은 그 찰나의 순간에 자신의 존재와 고요한 평화로움을 느낄 수 있었다. 교실의 떠들썩한 소음은 그녀와는 전혀 다른 세계의 이야기 같았다.

"가을아, 같이 집에 갈래?" 어느새 다가온 같은 반 남자아이의 목소리에 가을은 고개를 들었다. 잠시 고민하는 듯했지만, 이내 고개를 저어 거절의 의사를 보였다. 그러자 그 남자아이는 미소를 짓고 나서 아무 말 없이 다시 자기 자리로 돌아갔다.

고등학교 첫해의 첫 번째 학기, 이렇게 조용히 마무리되는 순간들에서 가을은 그동안의 시간을 떠올렸다. 친구들과 소소한 교류도 없이 혼자 보내는 시간이 길었지만, 그녀는 그것을 외로움이라기보다는 자신만의 특별한 시간이라 여겼다. 밖에서 들려오는 여름철 매미 소리가 점차 선명해지고, 교실 안의 학생들은 하나둘 자리에서 일어나기 시작했다. 가을도 천천히 일어나 가방을 챙기고 문을 향해 걸어갔다. 동시에 방학 동안, 어느 누구도 모를 그곳에서 작지만 자신만의 큰 세계를 펼칠 수 있겠다는 생각이 들었다. 따라서 그녀는 자연스레 공부 때문에 지친 마음, 그리고 한편에는 기대감을 안고서 학교를 뒤로하고 교문 밖을 향해 발을 내디뎠다. .

.

.

.

"야옹~" 고양이 소리에 잠시 창밖을 바라보았다.

여름방학을 맞이한 이후, 가을은 여느 때처럼 책상 앞에 앉아 의미도 모를 공부를 이어가고 있었다. 방에 걸린 시계는 여전히 무심하게 돌아가고 있었고 부모님의 목소리는 마치 갇혀 버린 레코드처럼 반복되고 있었다.

그러다 엄마가 들어오시며 말씀하셨다.

"공부해야지, 가을아. 네 미래를 위해서라면 이 고통도 감내해야 해." 가을의 어깨를 짓누르는 책과 노트들, 그 무게는 그녀의 미래를 밝혀주는 것이 아니라 하루하루를 버텨내기 어렵게 만들 뿐이었다.

최가을, 소녀의 이름처럼 그녀는 가을의 청명하고 깊은 아름다움을 닮은 아이였다. 그녀의 눈길은 늘 먼 곳을 응시하며 무언가를 갈망하는 듯했으나 언제나 그녀의 눈앞에는 부모님의 엄격한 시선과 무게 있는 요구들이 거대한 벽처럼 서 있었다. 책상 위에 쌓여 있는 문제집들은 그녀의 마음을 압박했고, 부모님의 기대는 항상 묵직한 족쇄처럼 그녀를 속박했다.

"가을아, 이 문제도 풀어야지."

이윽고 어머니의 날카로운 목소리가 방 안을 가득 채웠고, 아버지는 신문을 읽으며 묵직한 침묵으로 그녀의 주변을 감쌌다. 그 찰나의 순간, 강렬한 태양 빛이 창문을 통과해 책상 위로 쏟아졌고, 그 빛은 찬란하기만 했다. 뒤이어 오는 어머니의 따스하지만 다소 무거운 한마디.

"조금만 더 힘내자, 곧 끝이야."

가을은 묵묵히 고개를 끄덕이며 다가오는 몇 시간의 학습 시간을 견디기 위해 마음을 다잡았다. "몇 시간만 더 버티자…." 그러나 그것조차 마음대로 되지 않았다. 매번 같은 압박의 연속이었고, 그녀는 그런 것이 이제는 지긋지긋했다.

게다가 요즘, 그 무게만으로도 충분히 버거운 현실에 또 다른 짐이 더해졌다. 그것은 바로 소꿉친구 신희와의 문제였다. 그녀와의 관계는 가을의 차가운 바람 속에서 아픈 가시처럼 남아있었다. 처음에는 함께 하늘을 날던 나비 같았던 그들의 감정을, 시간이 지나면서 점점 무거운 돌들이 누르기 시작했다.

그녀는 자신의 이익을 위해 가을의 존재를 필요로 했지만, 다른 시간에는 마치 잊힌 이름처럼 가을을 외면했다. 그리하여 그녀들은 태양과 달처럼, 태양의 도움 없이는 빛을 낼 수 없는 달과 같은 불균형에 놓여 있었다.

한쪽은 빛나고, 다른 한쪽은 어둠 속에 머물러 있었다. 어린 시절 순수하게만 보였던 신희는 이제 가을을 방탄막으로 이용하는 데 너무 익숙해져 있었다. 그 사실을 가을 또한 모를 리 없었으나, 그녀의 마음은 여전히 이 관계를 엮어두고 있었다.

평소와 같은 일상을 보내던 어느 무더운 오후, 신희가 다시 가을의 집을 찾았다.

"가을, 나 좀 도와줘. 이번 시험 준비가 너무 힘들어⋯."

그녀의 목소리는 구름 속에서 들려오는 것처럼 희미하고 부드러웠지만, 그 속에는 다급한 부탁이 숨겨져 있었다.

"응, 알겠어."

가을은 고개를 끄덕이며 미소를 지은 동시에 왜인지 모를 쓸쓸해 보이는 얼굴을 하고서 자리에서 일어났다. 그녀는 자신을 방어하는 법을 배우지 못한 채, 신희의 요청을 받아들였다.

그녀의 기대와 부모님의 기대, 이 모든 것들이 어느새 그녀의 어깨 위로 무거운 짐처럼 내려앉았지만 그럼에도 그녀가 여태까지 버틸 수 있었던 이유는 바로 그녀만이 알고 있는 휴식처로, 혼자 마음의 위안을 얻을 수 있는 그녀만의 아지트가 있었기 때문이 아니었을까.

'요즘 너무 바빠서 잘 못 갔더니⋯. 오랜만에 갈 때도 됐지!'

가을은 스스로 합리화를 하며 오래간만에 느끼는 설렘과 왠지 모를 기대감을 안은 채 자신을 기다리고 있을 신희에게로 발걸음을 옮겼다.

오늘은 가을이 방학으로 인해 오랜만에 책방을 찾은 날이었다. 평소 이곳은 학교에서의 교우관계와 성적에 대한 걱정이 그녀의 마음을 짓눌러 힘이 들 때마다 찾아와 큰 위안을 얻을 수 있는, 그녀의 버팀목과도 같은 존재였다. 책방의 문을 열고 들어갈 때마다 느껴지는 그 특유의 오래된 책 냄새가 그녀를 감싸면, 가을은 잠시나마 현실의 고민을 잊을 수 있었고, 언제나 책방 내부는 세월이 만든 흔적들로 가득했다. 먼지가 쌓인 책갈피 사이로 햇살이 스며들었고, 부서진 창문 틈으로는 여름 바람이 들어오는 이곳에서 무질서하게 펼쳐진 책들을 보며 가을은 시간을 보내곤 했다.

주름진 표지와 노란 종이들, 그 사소한 모든 것이 그녀에게는 특별한 의미로 다가왔고 언제나 그랬듯 이 책방의 오래된 나무 의자에 앉아 가을은 녹초가 된 마음을 한 줄기 바람에 실어 보내듯, 책 속으로 천천히 빠져들었다. 도심에서는 아이들의 웃음소리와 자동차 경적 소리가 지겹도록 들려왔지만, 이곳 책방 안은 시간이 멈춘 듯 고요했다. 소나무가 우거진 바깥 경치와는 다른, 조용한 책방의 풍경 속에서 가을은 비로소 자신의 속내를 마주했다. 누군가에게는 버려진 공간일 뿐인 이곳에서도 가을은 많은 것을 느끼고 있었다. 그 모든 것들이 그녀만의 특별한 여름방학을 만들어 주고 있었다. 시간은 흐르고 있었지만, 책방 안에서의 시간은 그녀의 마음속에서 멈춰 있었고, 그 순간이 그녀에게는 이 세상의 그 무엇보다도 소중했다.

오늘도 가을은 책방으로 갔다. 책방으로 향하는 발걸음은 학교와 학원 가는 길과 비교도 안 될 만큼 설레고 두근거린다.

'끼익.'

책방의 문을 열었다. 겉보기엔 허름할지 몰라도 가을은 그런 책방도 좋다.

복층 구조의 책방은 오래되었지만, 책방의 구조를 모두 갖추었다. 햇살이 환하게 들어서는 자리에 가을은 짐을 놓고 책을 구경한다. 이미 다 봤던 책이지만, 가을은 마치 책들을 처음 본 듯 설레하며 책방을 구경한다. 가을은 책방 특유의 향을 무척 좋아한다. 책들의 오래된 냄새를 가을은 마음껏 느낀다. 오늘은 유난히 집에 가기 싫은 하루였다. 가을은 오늘은 더 오래 책방에 머물기로 했다. 그러다 책방 이층으로 들어섰다. 어렸을 땐 자주 이층으로 올라갔지만, 커서는 주로 일

[A5]하루의 잔상_개문동.hwp

층에만 머물렀기에 오랜만에 가는 것이다. 이층으로 올라가는데, 계단 앞에 신발 한 켤레가 놓여있었다. 가을이 책방을 다닌 지 몇 년이 넘었지만 그간 다른 사람이 들어온 적은 단 한 번도 없었다. 가을은 불안한 마음으로 이층 입구로 다다랐다. 가을의 불안함은 적중한 듯, 어떤 사람이 태평하게 잠을 자고 있었다.

가을과 또래 정도로 보이는 남학생이다. 몹시 놀란 가을은 일층으로 뛰어내리다 그만 넘어지고 말았다. 무릎을 찧어 아파하고 있는 가을 앞에 아까 잠을 자고 있던 남학생이 가을 앞으로 다가왔다.

"누구?"

잠이 덜 깬 목소리로 그는 물었다. 명찰에 적혀 있던 그의 이름은 백하(白夏)였다.

갑작스러운 그의 질문에 가을은 답을 주저했다. 평소 학교에서 대답도 잘 안 하던 가을에게 엄청난 일이 일어난 것이다. 우물쭈물 가을은 대답한다.

"나는 그냥……. 너는 누군데 여기 있어?" 대답을 하지 못하고 가을은 말을 돌렸다.

"나는 백한데, 이 책방에서 사람 본 건 처음이네? 나만의 아지트였는데!"

분위기를 전환하려는 백하의 의도를 파악하지 못한 가을은 빈정이 상했다. 책방에 대한 애정이 강한 가을은 가을 자신만의 공간을 아무렇지 않게 백하가 자기 것으로 만드는 느낌을 받았다. 가을은 퉁명스럽게 대답했다.

"네가 누군지는 잘 모르겠는데, 난 너보다 훨씬 오래전부터 이곳을 다녔어."

백하는 장난스럽게 대답했다.

"아닐걸? 내가 더 예전부터 다녔을걸?"

가을은 답했다.

"나는 이 책방 안에 있는 책, 공간 모조리 다 알아. 위에서 잠만 자는 너와는 비교가 안 되니까 너만의 아지트니 뭐니 그거 찾고 싶으면 네가 나가."

백하는 가을의 속사포 랩에 당황하며 답하려 한다.
"아니 나는…."
"앞으로 보는 일 없으면 좋겠다."
백하의 말을 자르며 가을은 답한 후, 소파 위에 있던 짐을 챙기고 밖을 나섰다.

"…."

백하는 순간 할 말을 잃었지만, 그 후 참고 있던 웃음을 터트렸다.

'재밌는 애네…. 근데 어디서 본 것 같은데…. 누구지?'

.

.

위안을 얻기 위해 책방에 간 가을은 잠시 책상에 핸드폰을 놓고 책을 찾으러 갔다.

그 사이 책방에서 휴식을 취하고 있던 백하가 계속해서 울리는 알림음 소리에 일어났다. 백하는 잠에서 깨어나지 못했는지 멍하니 알림이 울리는 가을의 핸드폰을 바라보고 있었다. 그때 백하 눈에 들어온 문자.

띠링-

'나 부모님 선물해 드리게 20만 원만 빌려주라.'

띠링-

'내일까지 갖고 와~ 알겠지?'
.
.
.

읽을 책을 고르고 책상으로 향한 가을은 자신의 핸드폰을 유심히 보는 백하를 보게 되었다.

책방 안 가득 채우는 알림음을 그제야 들은 가을은 다급히 핸드폰을 집었다. 문자를 본 가을은 마음이 복잡했다. 더군다나 그 문자를 본 사람이 있으니, 가을의 마음은 진정될 리가 없었다. 그저 서 있는 대로 잠깐의 정적, 가을에게는 길었을 정적이 흘렀다. 백하가 먼저 말을 꺼냈다.

"이신희? 걔 우리 반 아니야?"

가을은 아무 말도 하지 않았다. 소꿉친구의 문자에 어떻게 답장할지 생각하며 핸드폰만 만지작거리면서 서 있을 뿐이었다.

"너 괴롭힘 당해? 뭔 일이야?"

답장을 포기한 가을은 말했다.

"괴롭힘 안 당해. 그리고 걔는 내가 어릴 때부터 친하게 지낸 친구야."

"누가 20만 원을 친구한테 빌려? 친구한테 빌리기에는 너무 큰돈 아니야? 걔는 돈이 없대? 학교에서 가지고 있는 거 보면 집이 못 사는 편은 아닌 것 같던데…."

"너 내 친구에 대해 알지도 못하면서 그런 말 하지 마. 다시 말하지만, 걔는 내 친한 친구야."

"하…. 알겠어. 더 안 물어볼게. 근데 그거 계속되면 너한테만 안 좋을 뿐이야. 돈으로라도 걔랑 친구 관계를 이어 나가려 하는 거면 다시 한번 생각해 봐. 정말 그게 맞는 건지."

그날 그 둘의 대화는 이것으로 끝이 났다.

그다음 날 아침, 그다지 좋지 않은 기분으로 가을은 교실에 들어갔다. 자리에 가서 교과서와 필기구를 정리하고 자리에 앉자마자 들리는 가을을 부르는 목소리. 이신희였다. 가을은 이신희가 어제 문자에 대해 말하려고 한다고 짐작하고 있었다. 어제 문자 읽고도 답장하지 않았으니까, 이신희도 그걸 알고 있을 것이었다.

"가을아, 뭐해?"

"어…? 나…."

"어제 문자 답장 안 했더라? 돈은? 돈은 갖고 왔어?"

이신희는 가을의 말을 끊고 자기 말만 했다.

"답장 안 해서 걱정했잖아. 원래는 답장 빨리빨리 해줬는데. 어제 무슨 일 있었어?"

[A5]하루의 잔상_개문동.hwp

"미안해…. 조금 바빴어."

"친구보다 중요한 일이었나 보다. 그런 일이라면 괜찮지. 내가 이해를 못 해줬다, 미안."

"아니야……. 괜찮아."

가을은 어색한 웃음을 지어 보였다.

자신이 생각하기에도 저 자신이 안쓰러웠다.

하나 남은 친구라고…. 그 친구 붙잡으려고 거절도 못 하고 지금처럼 애쓰는 자신의 모습에 어제 백하의 말이 떠오른 가을은 이신희를 친구로 여기는 것에 대한 생각이 조금씩, 어쩌면 많이 흔들리고 있었다.

학교가 끝난 후의 가을은 무슨 일이라도 있었는지 아침에 그나마 있었던 눈의 생기조차 사라져 있었고 깔끔히 정리했던 머리는 부스스한 모습으로 변했다. 그녀는 그것을 신경 쓸 힘도 없는지 초점 없는 눈으로 먼 곳을 바라보았다. 시간이 얼마나 흘렀을까. 모두가 떠나고 아무도 없는 교실에 홀로 남아있던 가을은 그제야 학원에 가려고 가방을 챙겼다.

"너 괜찮아?"

책상에서 엎드려 자고 있던 백하가 일어나 말을 걸었다. 가을은 놀란 눈으로 그를 바라봤다.

"이신희. 들어보니까 돈 빌린 게 한두 번이 아니던데. 걔가 너의 가장 친한 친구라 해도 그 관계에서 네가 불편함을 느끼고 스트레스를 받는다면 그 관계를 이어 나갈 이유는 없어. 그러니 도움이 필요하면 말해. 내가 도와줄 수 있는 선까지는 도와줄게."

"……"

원래라면 거절했을 가을은 입을 다물었다.

"……"

침묵은 교실을 떠나지 않고 그 자리에 무겁게 내려앉았다. 그 속에서도 가을과 백하는 계속 서로를 바라보고 있었다. 그가 바라본 가을의 눈에는 공허함. 아니 그 공허한 눈 속에는 비애(悲哀)라는 꺼먼 호수가 자리 잡고 있었다. 그는 조용히 그녀의 대답을 기다렸지만, 그녀는 입을 열지 않으려는 듯 입술을 꽉 깨물었다. 그는 그런 그녀가 자신의 제안을 받아들일 마음, 대화할 마음도 없다고 생각했다. 그는 도움을 바라지 않는 사람을 붙잡는 건 무의미하다고 판단했고, 쓸쓸히 교실 문으로 발걸음을 옮겼다.

그 순간, 속삭이는 듯한 목소리가 그의 발걸음을 멈추게 했다.

"정말 도와줄 수 있어…?"

돌아보며 살짝 미소를 지었다.

"그럼 당연하지."

"아니야… 좀 더 생각해 볼게."

그는 가을의 앞자리에 앉아 눈을 바라봤다.

"망설이지 마, 난 해결해야 한다고 봐. 네가 그 애의 얼굴을 직접 보고 말할 자신이 없다면 문자라도 좋고."

가을은 그의 눈을 피했다.

"문자로 하면 다음 주에는 걔가 뭐라 안 할 것 같아? 얼굴 보고 말해도 똑같을 거야."

"어. 걔는 너 친구로 생각 안 해. 그건 우리 반 모든 애들이 그렇게 생각하고 있을걸."

그의 말은 가을의 마음을 깊이 찔렀다.

"그니까 내 말은 너는 너의 의견을 말하면 된다는 거야. 걔랑 친구하겠다고 네가 들어주기 힘든 부탁 일일이 해주지 말라고."

"너라면 할 수 있어? 나에게 친구는 걔 하나뿐인데… 그 애마저 없으면… 난…."

"네가 그 애에게 달라붙어 있으니까 친구가 없다는 생각은 안 해봤어? 매달릴 생각하지 말고 그냥 네 인생에 집중해."

"…"

"내가 날카롭게 말하긴 했지만 네게 도움이 됐으면 좋겠어. 도움이 더 필요하면 언제든지 연락해."

.
.
.
.

가을은 학원이 끝나고 집에 가서도 백하의 말이 맴돌았다. 오랜 고민 끝에 저녁 시간에 가을은 이신희에게 문자를 보냈다.

'신희야, 내가 생각해 봤는데 20만 원은 힘들 것 같아.'

'왜?'

'나한테는 20만 원이 없어.'

'부모님한테 말하면 되잖아?'

'난 못해, 부모님에게 그런 부탁드리고 싶지 않아.'

'우리 친구잖아. 친구니까 서로 돕자는 건데 너는 그것도 못 해줘?'

'미안, 친구라고 생각했는데 이제는 모르겠어.'

'하 난 널 친구라고 생각했는데…. 정말 너무하네.'

'그래서 그런데 그동안 나한테 빌려 갔던 거 줄 수 있어? 아니 줬으면 해.'

이신희는 가을이 보낸 마지막 문자를 읽지 않았다. 답장을 받지 못했어도 가을은 그동안의 긴장감과 불안이 날아가는 것 같이 후련했다. 그리고 백하에게 고맙다는 인사를 전해야겠다고 생각하며 잠에 들었다.

그 이후 가을은 학교에서 이신희와 떨어져 어색한 학교생활을 하고 있었다. 이신희가 가을에게 관심을 주지 않으니 친구들 또한 가을을 자연스레 멀리하고 있었다. 그래도 아주 작은 변화는 있었다. 백하가 전보다 가을을 챙겨주고 있다는 것이었다. 그녀가 혼자 있다 싶으면 먼저 다가와 말을 걸었고 여러 친구를 소개해 주려 하였다. 그럴 때마다 가을과는 친해지고 싶진 않았지만, 백하와는 친해지고 싶어 다가오는 친구들을 보는 건 그녀에게 꽤나 고역이었을 것이다. 며칠이 지나서야 이런 생활에 익숙해질 때쯤 점심시간, 가을은 점심을 먹으러 자리를 비운 사이 백하는 밥 먹을 생각이 없는지 책상에 엎드려 잠을 자고 있었다. 반에는 친구들끼리 한 무리를 지어 얘기를 나누고 있었다. 점심 먹으러 갈 시간인지 그 아이들의 목소리가 교실을 가득 채웠다. 그럼에도 그들은 그 사실을 깨닫지 못했는지 자기들끼리 시시덕거렸다. 백하는 이 소리에 잠에서 깨어났지만 이를 넘기고 다시 잠을 자려고 하였다. 그 순간 '최가을'이란 말에 그들의 대화에 귀를 기울였다.

"최가을 있잖아. 너희는 어떻게 생각해?"

"최가을은 왜?"

"아니 뭐 걔가 요즘 유일하게 챙겨준 신희랑 그다지 사이가 안 좋은 거 같아서."

"흠…. 그렇긴 하지."

"그거 최가을이 신희한테 계속 들어주기 어려운 부탁하니까 신희가 한마디 했는데 그 이후로 이 상황이라고 하더라고."

"응? 내가 들은 거랑 다른데? 그거 신희가 원래 걔한테 이것저것 많이 시켰잖아… 그러다 신희가 20만 원? 정도 달라고 했는데 최가을, 걔 신희 시녀였잖아. 그래서 그런지 그동안 쌓여온 게 많았다고 했나? 어쨌든 그거 때문에 싸웠대."

"신희가 설마 20만 원이나 달라고 했겠어? 2~3만 원이었겠지. 설령 그렇게 말했더라도 신희는 금방 다시 돌려주잖아."

"맞아. 저번에 나한테 만 원 정도 빌려 갔는데 그다음 날 바로 주더라. 그런 신희 왜 못 믿는지… 최가을이 이상한 거라니까."

"걔는 평소에 친구도 없어서 신희가 챙겨주는데 고마움도 모르고."

"걔 신희랑 초등학교 때부터 친구로 지냈다고 하지 않았나? 그럼 신희는 걔를 몇 년 동안이나 도와준 거야? 신희가 보살이었네."

"그니까 어쩐지…. 걔 주변에 친구가 왜 없는지 알 것 같네."

"맞아. 나 걔랑 대화해 봤는데 내 말 개무시했잖아. 자기가 뭐라도 되는 것처럼."

"아! 내 친구 중에 같은 초등학교 나온 애한테 들은 건데 최가을 원래부터 인성에 문제 있어서 친구가 없었다고 했어. 그때도 신희가 도와줬다고 알고 있는데."

"그럼 그런 애가 백하한테 붙어있는 거야?"

"백하만 불쌍해. 왜 걔를 챙겨주는지. 그러다 신희처럼 뒤통수 맞는

[A5]하루의 잔상_개문동.hwp

거 아니야?”

“하… 그런 애는 진짜 사회적으로 매장돼야 해. 하필 우리 반이어서……. 짜증 나게…….”

슬슬 다른 반 아이들이 들어오자, 그들은 다른 이야기로 화제를 돌렸다. 때마침 가을도 교실에 들어와 백하를 깨웠다.

가을은 초코우유를 백하가 앉아 있는 책상에 놓으며 말했다.

“여기, 급식실에서 가져다 달라고 한 거.”

원래부터 일어나 있어 그 이야기를 들었던 백하는 방관자나 다름없는 행동을 했단 사실에 미안한지, 이를 알려줘야 하는지 혼란스러운지 억지스럽게 눈을 비비며 일어나 다 티 나는 어색한 웃음을 지으며 입을 열었다.

“…고마워.”

가을도 무언가 하고 싶은 말이 있었는지 입을 열었다가 수업의 시작을 알리는 종소리에 다시 닫았다.

어느샌가 그때 그들이 나누었던 가을의 이야기는 마치 사실인 것처럼 살이 붙여지고 있었다. 쉬는 시간이든 점심시간이든 ‘최가을’이란 이름은 거의 전교생 입에 오르락내리락하고 있었다. 가을이 지나갈 때마다 학생들은 그녀를 힐끗 쳐다보고는 그들끼리 키득거리거나 그녀와 닿지 않게 자리를 피하곤 했다. 이런 상황이니 소문에 둔하디 둔한 가을에게까지 닿지 않을 리 없었다. 학교가 끝나고도 그 충격이 가시지 않았는지 가을은 책상에 엎드려 누구에게 들릴까 숨죽여 울고 있었다. 교실에는 반 아이들은 다 나갔지만, 백하는 남아서 그녀의 모습을 지켜보고 있었다. 그 상태로 몇십 분이 지나고 태양이 모습을 감추려, 온 하늘을 붉게 만들어갈 때에야 가을은 얼굴을 들었다. 그녀는 세수를 하러 가려고 책상에서 일어나 문 쪽으로 발을 옮기려 하자 백하와 눈이 마주쳤다.

"아… 놓고 온 게 있어서…"

그녀의 얼굴을 보자 죄책감이 그를 눌러 그는 자신도 모르게 거짓말을 내뱉었다. 그는 급히 무언가 챙기는 것처럼 행동을 취하다 교실 문을 향해 걸어갔다.

"너."

가을의 목소리가 그의 발걸음을 멈추게 했다.

"너도… 알고 있었던 거지."

백하는 뒤를 돌아봤다. 노을 지는 하늘에 그녀의 눈가에는 물방울이 맺혀 반짝이고 있었다. 곧 울 것 같은 표정으로 그녀도 그를 바라보고 있었다. 그는 고개가 아래로 향한 채로 말했다.

"응."

가을은 떨려가는 목소리로 말했다.

"넌 믿어? 그 소문."

"아니… 난 안 믿어. 네가 그럴 애가 아니라는 거 알고 있으니까."

"그럼… 그때 왜 말 못 했어? 내가 네 뒤통수칠까 봐? 믿는다면서…"

백하는 놀란 목소리로 말했다.
"어… 어떻게 알았어?"

"나 봤어. 그날 너 잠 안 자고 엎드려서 애들 얘기하는 거 들었잖아."

"그건… 난 네가 어떻게 살아왔는지 몰라. 네가 초등학교, 중학교에서 어떤 생활을 했는지 아무것도 아는 게 없어서… 선뜻 나서지 못했어… 미안해."

"아니야… 네가 미안할 건 없지… 그냥… 나한테 말 걸지도 다가오지도 말라고 말해주고 싶었어. 나한테도 그렇고 너를 위해서. 그럼 나 먼저 가볼게."

"잠깐… 가을아…! 내가 도와줄게. 애들한테 말해서 소문이 거짓이라고… 그러니까…"

백하는 멀어져 가는 그녀를 붙잡지 못했다. 시간은 계속해서 흐르고 소문은 붙잡을 수도 없이 커져갔다. 이 상황을 도무지 견딜 수 없던 가을은 학교에서의 일을 부모님에게 말했다.

"엄마 아빠, 저 학교 다니기 힘들어요. 애들이 저를 좋게 생각하지도 않고… 제가 뭘 해야 할지 모르겠어요."

엄마가 입을 열었다.

"하… 고작 친구 관계 때문에 그러니? 1년이면 너랑 떨어질 친구들인데 신경 쓰지 말고 공부에만 집중해. 고등학교 내신은 중요한 거 너도 알잖아."

그때 돌아온 답은 그녀의 마음에 박힌 못을 더 쑤실 뿐이었다. 코가 찡해짐을 느낀 가을은 붉어지는 눈을 숨기고자 고개를 숙이고 방으로 들어가 문을 닫았다. 문을 열려고 노력하는 달칵달칵하는 소리와 함께 날이 세워져 있는 엄마 목소리가 들려왔다.

"최가을, 오늘 숙제는 다 한 거지? 내일 학원에 연락해서 확인할 거야."

침대에 달려가 이불을 덮었다.

그날따라 넓은 방조차 그녀에게는 좁고 답답하게 느껴졌다. 특히나 책상에 널려있는 문제집과 숙제는 그녀를 더 깊은 늪으로 빠지게 하는 것 같았다. 그날은 달빛 하나 없는 어둡고도 깊은 밤에 잠을 청했다.

그때 느낀 상한 감정에 정신 차리지도 못하고 백하의 도움을 거절했기에, 이미 받은 도움도 있는데… 다시 도움을 청하기에는 먼지만큼 남은 자존심이 허락하지 않았다. 그렇다고 부모님에게 도움을 받게 된 것도 아니었다. 가뜩이나 부모님에게 안 좋았던 감정도 더 심해진 그녀는 반항심에 학원도 가지 않고 학교 방과 후까지 남아있었다. 처음으로 저지른 일탈이었다. 첫 일탈임에도 그녀의 마음은 편치 않았다.

아직 해결해야 할 일이 있었기 때문이었다. 자신이 할 일을 하기 위해 그녀는 책상에 앉아 노트를 펼쳤다. 몇 분이 지나도 떠오르지 않는지 노트에 알 수 없는 내용의 글을 끄적이고 있을 뿐이었다. 초조해지는 마음에 그녀의 머릿속은 하얗게 변해가고 있었다. 그럼에도 그녀의 손은 펜을 놓지 않고 알 수 없는 글 위를 칠하고 있었다. 쓱쓱… 펜촉을 종이에서 떨어뜨리고 나서야 요동치는 마음도 어느 정도 멈추었다. 그녀는 정신을 차리고 다시 노트로 눈을 돌렸다. 그녀가 정신이 팔렸던 흔적은 그저 검은 실이 엉킨 모습을 담고 있었다. 이러한 모습에 그녀는 무엇이라도 보았는지 입꼬리가 살짝이나마 올라가 있었다. 그녀는 작게 속삭였다. "…책방" 책방, 그녀는 그 낙서에서 책방을 보았다.

아마 무의식중에도 책방을 생각했는지도 모른다. 많은 이야기를 담은 책을 품고 있는 곳이라면 이 상황을 해결할 무엇인가를 알려줄 수 있을 거란 믿음이 그녀의 마음 한 곳에 살포시 자리를 잡았다. 그 믿음이 뿌리를 내려 확신으로 바뀌는 데에는 그리 오랜 시간이 걸리지 않았다. 그녀는 자리에서 일어나 가방을 들고 급하게 책방으로 향했다. 날은 어두워질 때로 어두워지고 있었으며 비도 조금씩 내리고 있었다. 신발이 더러워지고 다리에는 흙이 묻어도 달려 도착한 책방에 가을은 숨을 몰아쉬며 들어섰다. 퀴퀴한 냄새, 그리 맡기 좋은 냄새는 아니었다. 그러나 그동안 자신도 모르게 쌓인 짐과 스트레스가 많았는지 여느 때보다 마음이 안정되는 것 같았다. 느슨해져 가는 마음을 잡고 가을은 책을 찾으러 책방 안을 돌아보기 시작했다. 한번 돌고 다시 돌고, 또 돌아서야 어떤 한 권의 책이 눈에 들어왔다. 제목이 없는 흰색 표지의 책, 그 책이 꽂힌 책장은 가을이 자주 볼 책을 찾던 곳이었다. 그러나 이상하게도 그 책은 책방 안에 어떤 책이 있는지, 어디에 있는지까지 알고 있던 가을에게도 무척이나 낯선 책이었다. 그녀는 그 책을 들고 책상에 앉아 천천히 읽어 내려갔다. 읽어갈수록 동화책이라는 느낌을 받았다. 거의 그림이었고 나머지는 짧은 문구가 있었

다. 졸라맨 몸에 웃고 있는 둥그런 얼굴, 여러 밝고 튀는 색깔, 어깨동
무한 모습의 그림…. 꼭 어린애가 그린 그림 같았다.

　시간만 버렸단 생각에도 미련에 한 장을 넘기자 나오는 글,

　옛날옛적에 한 꼬마가 살고 있었어요. 그 꼬마는 작고 밝은 아이
였어요. 하지만 그곳에는 너무나도 큰 사람들이 많았어요. 꼬마의 목
소리는 그들의 발소리에 가려질 뿐이었죠. 그럴수록 꼬마는 사람들을
멀리하게 되었어요. 이런 사정들을 모르는 사람들은 그 꼬마를 미워
했어요. 한 사람은 자신의 말을 들어주지 않았다는 이유에서, 다른
사람은 전해 들어서, 또 다른 사람은 '그냥'이라는 이유에서 미워했지
요. 꼬마는 너무 슬펐어요. 얼른 이 오해를 풀고 싶었어요. 그래서 항
상 웃고 무슨 부탁이든 들어주었지요. 하지만 사람들의 마음은 변하
지 않았어요.

　꼬마는 강가에 앉아 고민했어요. 무엇을 잘못했는지 말이에요. 아
무리 생각해도 잘못한 건 없는 것 같았어요. 더 이상 꼬마는 버틸
수 없어 직접 대화해보기로 했어요. 꼬마는 목소리를 키우기 위해 확
성기를 들고 갔어요. 당당히 자신의 사정을 말했고 그제서야 그간의
오해가 풀리는 듯했어요. 사람들도 다가와 말을 걸며 서로 친해지려
노력하였어요. 꼬마 스스로가 이뤄낸 일이었지요. 작고도 너무 작은
아이이지만 그 누구보다 용기가 대단했다는 걸 그제서야 모두가 알
았어요. 여전히 누군가는 꼬마를 미워했어요. 하지만….

　그 이후는 지우개로 지웠는데 잘 안 지워진 흔적이 남아있었다. 그
런데 중간에 한 문장만은 진한 색으로 쓴 듯했다.

　'---너는 잘못되지 않았다는 걸, 그저 서툴렀을 뿐이란 걸 알아.---'

　글도 다 쓰인 게 아닌지 빈 면이 대부분이었다.

　　　　　　　　　　[A5]하루의 잔상_개문동.hwp

이 뻔하고 별거 없는 이야기의 책을 읽고 가을은 무언가 다짐한 듯 보였다.

가을은 새벽이 되어서야 집에 들어갔다. 다행히도 부모님은 주무시고 계셨다. 그녀는 쪽잠을 자고 이른 아침에 등교했다. 그녀는 학교가 끝날 때까지 기다렸다. 학교가 끝나고 백하, 이신희가 떠나는 걸 확인했다. 아직 교실에는 절반 이상의 아이들이 있었다. 그녀는 아이들 사이를 지나쳐 한 책상에 모여 대화를 나누는 그 무리에게 다가갔다. 두려움과 긴장에 그녀의 심장이 빨라지는 게 들릴 정도로 두근거렸다. 그녀가 먼저 입을 열었다.

"너희…. 너희가 내 뒷담화한 적 있어?"

"응? 무슨 소리야 우리가…?"

"…너희가 내 뒷담화하는 거 들었어."

"우리 아닌데, 다른 애들이 얘기하는 거 듣고 그런 말 하는 거 아니야? 우린 너에 대해 얘기한 적 없어."

"너희가 그날 점심시간에 내 얘기한 건 뭐야…?"

"아, 근데 그건 지나간 일이잖아. 그게 문제였으면 그때 바로 얘기했어야지."

"…난 무시하려고 했어… 근데 너희 말 때문에 소문이 더 커지고 있잖아."

"그게 우리 탓이야? 솔직히 말해서 우리는 대화만 했을 뿐이고 소문을 더 크게 만든 건 다른 애들이지."

"너희가 그 소문의 시작인 건 변하지 않아…"
그녀는 말끝을 흐렸다. 그동안의 아픔 때문이었을까. 그녀의 눈가는 붉어지고 있었다. 곧 울 것처럼.

그들은 작게 속삭였다.
"하… 별일 아닌 거 가지고 이 난리야."

그녀는 목을 가다듬고 말했다.

"…신희의 도움을 모르는 건 아니야. 고맙게 생각해. 근데 신희가 날 대하는 태도, 너희도 알잖아…"

"…"

그녀는 울화를 참으며 말을 꺼냈다.
"너희도 말이 안 된다는 거 잘 알면서… 아니야 그냥 계속해. 그런 거 잘하잖아."

"뭐?! 야, 네가 뭔데 우리한테 이래라 저래라야."

"…왜? 너희들끼리도 한 명 정해서 뒷담화하지 않았어…?"

그들은 서로의 얼굴을 둘러보고는 자기들끼리 싸우기 시작했다. 얼마나 열심히 말하는지 그들의 얼굴은 얼마 안 있으면 터질 듯 빨개졌다. 그러고는 찔리는 게 있는지 짜증 나는 듯 궁시렁거리며 급하게 하나둘 교실을 나갔다. 한바탕 폭풍이 휩쓸고 간 교실에는 정적만 남았다. 가을도 가방을 챙겨 학교를 떠났다. 학교 정문을 지나서야 긴장이 풀렸는지 한숨을 내뱉었다. 가슴 속에 박혀있던 응어리가 사라진 듯한 느낌을 받았다.

그녀는 바로 책방으로 발걸음을 옮겼다. 백하가 거기 있을 거라 생각해서 만나러 가기 위한 것이었다. 그녀의 예측이 맞았는지 평소와 똑같이 백하는 잠을 자고 있었다. 그리고 그 앞에 색연필과 어제 보았던 책이 펼쳐져 있었다. 그를 깨워 물어보고 싶었지만 잠에 깊이 든 것 같아 깨우지 않았다. 가을은 또 그에게 도움을 받아 미안하고 고마운 마음에 소소한 간식을 그의 옆에 놓고 끝이 나지 않은, 끝이 나지 않을 이야기의 책에 이렇게 적었다.

'고마워, 나의 걸음에 네가 있어 줘서.'

그녀는 그가 깨어날까 금방 정리하고 일찍 집으로 갔다.
집에 도착하니 무거운 공기가 내려앉는 듯했다. 가을의 엄마는 그녀를 보자마자 말했다.

"어디 갔었어? 학원도 안 갔다 오고."

화를 참는 듯한 목소리였다.

"…엄마가 항상 말하지. 공부하라고, 그래서 학원도 다닐 수 있게 지원도 해주는데… 뭐가 부족해서 그래? 응? 말해봐."
"학원에 안 간 것은 죄송해요. 너무 제 앞에 일만 챙겼나 봐요…."
"하… 그래 오늘은 학원 가지 말고 집에서 공부해. 어제 해야 했던 것도 하고…"

엄마가 말을 마치자 가을은 한동안 그 자리에 서서 가만히 있었다. 몇 분 동안이나 그러자 엄마는 성가신지 표정은 굳어지며 한마디를 하려고 할 때 그녀는 그동안 서러운 게 많았는지 울먹거리더니 먼저 입을 열었다.

"엄마, 엄마는 저 생각해 보셨어요? 학원도 제가 다니고 싶어서 다니는 것도 아닌데 맨날 공부, 공부…! 저 너무 힘들어요. 그때도 도와달라 했는데…"

그녀는 결국 눈물을 흘렸다. 멈추지 않는 눈물을 닦으며 울지 않으려 노력했다. 그럼에도 집 안은 그녀의 울음소리로 채워지고 있었다. 딸의 눈물에 엄마는 당황스러운 눈치였다. 언제나 부모님의 말씀에 토를 달지 않고 따르던 아이였기에 그녀가 처음 표출한 감정으로 그 공간에 있던 모두가 굳은 채 서 있었다. 그날은 원래도 별로 없던 가족끼리의 대화가 아예 없었다. 공부하라는 무언의 압박조차도.

학교에서의 생활은 점점 안정되고 있었다. 여전히 소문은 존재했지만 믿지 않는 사람들도 늘면서 가을은 이제는 시간의 흐름에 맡겨 보기로 했다. 그동안의 힘든 생활이 무색하게도 새로운 친구들이 나타나 상처를 보듬기도 해주었으며 좋은 기억들로 나쁜 기억을 잊게 해주었다. 그녀 스스로도 길을 걸어가기 시작했단 걸 깨달았던 나날들이었다.

.
.
.
.

[A5]하루의 잔상_개문동.hwp

.
.

　이윽고 찾아온 차디찬 겨울, 교정에는 하얗게 눈이 내려앉아 있었다. 하얀 불빛이 투명하게 새어 나온 교실 창문 너머로, 백하의 웃음소리가 새어 나왔다. 언제나처럼 밝은 그의 얼굴이었다. "백하, 정말 유학 가는 거야?" "정말 아쉽다…." "가서도 꼭 나랑 연락해야 된다, 너!"

　친구들의 목소리가 서로 뒤섞이며 교실을 가득 채웠고 붉어진 코끝을 비비며, 백하는 고개를 끄덕였다. "그래." 종일 친구들에게 둘러싸여 작별 인사를 받는 백하의 모습은 지금이 한겨울임을 망각하게 할 정도로 눈부시게 빛났다. 그의 주위에는 웃음과 눈물, 아쉬움이 공존하며 다가오는 이별을 맞이할 준비를 하고 있었다.

　가을은 교실 구석에서 그 장면을 차분히 지켜보고 있었다. 그녀의 가슴 속에도 백하가 옆에 있었기에 찬란했던 시간이 영화처럼 스쳐 지나갔다. 하지만 종일 친구들에게 둘러싸여 있는 모습을 조용히 바라보기만 하는 그녀는 기회만 엿보며 좀처럼 백하에게 다가가지 못하고 있었다.

　마지막 날이어서 그런지 더욱더 백하에게 매달려있는 친구들의 모습을 그저 하염없이 바라보며 애간장만 태우고 있었다.

.
.

　"남은 학교생활 잘 보내고 나중에 기회가 되면 또 보자. 다들 잘 지내!"

　땡동댕동-

　수업이 끝나고 백하의 마지막 인사를 끝으로 우리만의 청춘 이야기는 결국 끝을 맺지 못한 채 마침표를 찍게 되었다.

하나둘씩 빠져나가며 교실이 점점 조용해지자, 가을은 조용히 일어나 창가로 걸어갔다.
'갔네…'
쏟아지는 눈송이 하나하나가 세상과 그녀를 단절시키는 듯한 분위기 속에서 그녀는 눈을 감고 숨을 깊이 들이마시며 속으로 생각했다.
'작별 인사도 하지 못했어.'
진짜 이대로 우리의 관계가 끝이 난 걸까.

마지막 인사를 해주지 않은 백하에 대한 서운함,
나에게 이 세상의 아름다움을 알려준 소중한 친구를 제대로 배웅해주지 못한 미안함,
이런 부족한 나에게 먼저 손을 내밀어준 따스함에 대한 고마움.

열린 창문으로 차디찬 겨울바람을 맞으며
겨울 특유의 냉기와 함께 여름을 닮은 그에 대한 복잡한 감정들을 품에 안았다.

아쉬움이 물 밀리듯 들어와 흰 운동장이 더욱더 쓸쓸하게 보이며 가을의 마음을 더욱 허무하게 만들었다.

'너를 만난 이후로 한 번이라도 네 빈자리를 생각해 본 적이 있었던가. 책방에서라도 계속 볼 수 있을 줄 알았는데.'

한참을 생각에 잠겨있었던 그때였다.

"가을아."

익숙한 목소리가 등 뒤에서 들려왔다. 백하였다. 창문에 비친 그의 얼굴은 언제나처럼 부드럽고 따뜻했다.

"네가 왜 여기 있어? 간 거 아니었어…?"

가을이 놀란 듯 눈을 동그랗게 뜨고 물어보자 백하는 웃음을 터트리며 말없이 가을을 쳐다보았다.

"오늘 시간 있어?"
"조금? 이따 학원 가야 해."
"그래? 그럼 교문까지 같이 가줘."
"왜 여기 있냐고. 친구들이랑 같이 간 거 아니었어?"
"에이. 설마 너 하나뿐인 절친을 이렇게 무심하게 보낼 생각이었던 거야?"
"그건 아니었지만…."

이제 다시는 못 만날지도 모른다는 아쉬움 때문일까. 끝내 가을이 말을 잇지 못한 채 고개를 숙이고 가만히 서 있자 백하의 마음 한편이 아려왔다.

"그러지 말고 같이…"
"그래서 언제 오는 건데?"
"…가을아."

백하는 이내 쓴웃음을 짓더니 말을 이었다.

"가을이 너는 어떻게 생각할지 모르겠지만, 난 너에게 많은 힘을 받았어. 유학 가는 것도 너에게 힘을 받고 내 꿈을 향해 나아가기 위한 수단일 뿐, 너보다 그 이상이 될 순 없어. 그러니까 가을아, 조금만 기다려줄 수 있어? 가을이 네가 성장하는 모습 보면서 너와 함께 성장하고 싶다는 생각이 들어. 그래서 그동안 용기 내 보지 못 했던 일 일이 도전해보고 싶어."

가을은 할 말이 없었다. 그동안 늘 백하가 자기보다 뛰어난 아이라고만 생각했다. 그래서 늘 백하에게 도움을 받으며 살아가고 있었다. 그런 백하가 내 도움으로 성장해나갈 수 있다고 말을 하자 마음 한구석이 아파졌다. 그동안 늘 엄마, 아빠 말만 들으며 공부에 집착했던 내가 진정으로 자기를 위해주는 친구를 사귄 것도 모자라 그를 성장시켰다는 사실에 가을인 아무 말도 할 수가 없었다.
'툭. 투둑.'
이내 가을의 눈에서 눈물이 흘렀다. 가을인 울컥하던 마음도 잠시, 백하가 보고 있단 걸 눈치채고는 말을 이었다.

"아직 이렇게 눈물이 흐르는 걸 보면 백하 네가 떠나게 돼서 서운한가 보다. 너는 성장하러 가는 길인데 주책맞게…"

백하는 그런 가을을 보며 웃어 보였다.

"걱정하지 마, 가을아. 이제는 나 없어도 넌 혼자가 아니니까."

가을은 백하의 말뜻을 완벽히 이해하진 못했다. 하지만 그저 햇살이 불어 들어오는 교실 안에서 백하와의 눈 맞춤으로 백하가 가는 길을 조용히 배웅해줄 뿐이었다. 가을이 마지막으로 본 백하의 모습은 햇살에 머리카락이 살랑살랑 흔들리며 가을을 보며 웃어 보이고 있었다. 그 웃음을 보고 있자니 정말 머지않은 날에 다시 백하를 볼 수 있겠다는 안도감이 드는 편안한 미소였다. 그 미소를 뒤로 한 채 백하는 호주로 떠났다. 가을은 백하가 떠난 날을 책방에 써두었다. 그리고 백하가 올 때까지 씩씩하게 잘 생활했다는 모습을 보여주고 싶었다. 백하가 내게 준 힘은 세상을 긍정적이게 살아갈 힘이었다.

"호주에서도 잘 지내야 해. 백하야."

가을인 그 말을 마지막으로 책방을 떠났다.
그 순간, 그녀의 몸에서는 벚꽃과도 같은 향기가 피어올랐다.

에필로그

"가을아! 가을아! 서둘러야 해!"

가을인 새로 사귄 친구인 예나, 유준과 함께 매점으로 뛰어갔다.

"딱 세 개 남았다!"

가을, 예나, 유준은 서둘러 남은 초코우유 3개를 집어들었다.

"조금만 늦었으면 큰일 날 뻔했다!"

"그러게 말이야!"

그렇게 우리는 매점을 빠져나오며 웃고 있었다.

"아 참, 백하 귀국이 다음 주 아니야?"

예나의 말에 가을은 백하의 얼굴을 떠올리곤 웃으며 고개를 끄덕끄덕했다. 유준이는 백하 얘기가 나오자 잠시 생각에 빠지는 것 같더니 말을 했다.

"백하 오면 우리 백하랑 같이 여행갈까? 한국이 그리웠을 거 아니야!"

어느새 우리 셋은 백하가 수락할지 안 할지도 모르는 여행 계획을 세우는 데에 열중하기 시작했다.

"아냐, 산보다는 바다가 좋을 거 같은데."

"응?? 백하가 바다를 좋아했었나? 산으로 가자~ 이열치열 몰라? 땀 좀 빼야지~"

"야, 멍청아. 백하 바다 좋아하잖아."

"에엥? 그랬어? 근데 잠깐…. 너네 어떻게 알았냐?"

가을은 이 순간이 마냥 행복하다. 근심, 걱정이 있어도 같이 털어놓을 수 있는 친구가 있다는 것은 가을이 신희와 있을 때는 느껴보지 못했던 것들이었다.

그리고, 이런 것들을 누릴 수 있게 도와준 백하의 귀국 소식에 가을은,

그 말이 마냥 행복했다.

.

.

띠롱.

그 순간 울린 전화에 가을은 휴대전화를 확인했다.

푸르게 물든 나뭇잎과 함께 가을의 얼굴엔 미소가 가득 번졌다.

그 여름날을 장식해준 네가 내게로 왔다.

내 마음속에 영원히 새겨질 따스한 태양과도 같은 네가.

제 2부

고지원 리안 하온

바람이 스쳐 간 자리

-페이지를 채우다

Part. 1 : 빛과 그림자

따스한 바람이 코끝을 스치고 콧노래를 흥얼거리며 학교로 향했다. 집과 학교와의 거리는 걸어서 20분 정도 걸린다. 10분도 채 지나지 않은 것 같은데 이미 나는 학교에 도착해 있었다. 새 학기라 설레기도 하지만, 지난 아픔으로 인해서 한편으로는 두렵기도 했다. 살며시 교실 뒷문을 열고 교실 안으로 들어갔다. 햇살이 비추는 창가의 끝자리가 나의 자리였다. 내 책상 위에는 조그맣게 '김세희'라고 쓰여있었다. 조심스럽게 그 의자를 당겨서 앉았다. 눈부신 햇살에 나도 모르게 고개가 창밖을 향했다.

햇살은 마치 금빛 물결처럼 사방에 퍼져나가고, 나무들은 초록빛 잎사귀를 흔들며 봄을 맞이하고 있었다. 교실 안은 새로운 시작에 대한 설렘과 긴장감으로 가득 찼다. 학생들은 삼삼오오 모여 이야기꽃을 피우고, 새로운 친구들과 함께 웃음소리를 내며 시간을 보내고 있었다. 나는 친구들이 모여 있는 가운데 혼자 조용히 앉아 있었다. 옆자리의 친구들이 새 학기에 대해 떠들어대고, 새로운 인연을 기대하며 웃음소리를 내는 동안, 나는 내 자리에서 고요함을 찾고 있었다. 그렇게 떠

[A5]하루의 잔상_개문동.hwp

들썩한 분위기 속에서, 나는 점점 더 고립감을 느꼈다.

점심시간, 나는 급식실 한구석에 조용히 앉아 혼자 점심을 먹었다. 주변의 수다 소리와 웃음소리와는 동떨어진 채, 나는 종종 생각에 잠기곤 했다. 친구들과의 소통이 부담스러웠고, 그래서인지 자연스럽게 혼자 있는 시간이 더 편안하게 느껴졌다. 혼자 있는 것이 익숙해질 때쯤 어린 시절의 상처가 떠올라 눈시울이 붉어졌다.

복도를 지나가다 송이를 마주쳤고, 반가운 마음에 인사를 건넸지만, 나에게 돌아온 건 굳어진 얼굴과 싸늘한 표정뿐이었다.

그 순간 어둠이 나를 덮쳤다. 송이는 차갑게 말하기 시작했다.

"미안하지만 난 더 이상 너와 친구 하고 싶지 않아. 너랑 함께하는 시간이 재미가 없어졌고, 조용한 성격인 네가 너무 답답해. 그런 너를 맞춰줘야 하는 내가 이젠 지쳤어. 앞으로 아는 체하지 말아 줘. 그럼 잘 지내. 나도 잘 지낼 테니까."라는 그 말과 함께 나는 쓸쓸하고 무거운 마음으로 교실로 돌아가던 길이 선명하게 떠올랐다.

송이와 나는 정말 둘도 없는 친구였다. 어디를 가든, 무엇을 하든, 우리는 언제나 하나였다. 그런 송이의 행동을 이해할 수 없었다. 그날 이후, 상처는 깊어졌고, 학교에서의 모든 순간이 고통으로 변했다. 그 기억이 떠오를 때마다, 마음속 깊은 곳의 상처가 아릿하게 느껴졌다.

나는 이제 더 이상 나 자신에게 상처를 주고 싶지 않다.

고요한 시간 속에서 마음은 더욱 편안해졌고, 외부의 혼잡함과 상처에서 잠시 벗어날 수 있었다. 나는 친구들과의 대화 대신, 조용히 종이비행기를 접기 시작했다. 비행기를 접으며 느끼는 평온함이 좋았다. 마치 예술가의 손길처럼 섬세한 손끝으로 종이를 조심스럽게 접었다.

종이비행기는 완벽한 균형을 이루며 하늘로 날아오를 준비를 마쳤다. 창문을 열고 살며시 비행기를 날렸다. 비행기는 바람을 타고 교실 밖으로 나가 운동장으로 향했다. 비행기가 하늘로 날아가는 모습을 바라보며 잠시 눈을 감았다. 그 비행기가 자유롭게 하늘을 나는 모습을 상상하며, 내 마음속 깊은 곳에서 나오는 작은 희망의 표현처럼 느껴졌다. 마치 내가 세상과 다시 연결될 수 있는 날을 꿈꾸는 것처럼, 종이비행기는 하늘 높이 날아갔다. 그 순간만큼은 과거의 상처가 잠시나마 사라지는 듯했다.

깊은 새벽 끝에
내린 결론 하나
나는 지금
마음 둘 곳이 없다

온기 없는 방 안에서
외로운 그림자를 좇는다

끝없는 공허 속에서
내가 찾는 건 오직 하나
잃어버린 '마음의 안식처'

리안 하온

Part. 2 : 스며들다

우리 반에 친구들의 부러움을 한 몸에 받는 남자아이가 있다. 그 친구의 이름은 원진이다.

키가 크고, 연예인을 해도 될 정도로 빼어난 외모에 운동까지 매우 잘한다.

싱글벙글 잘 웃고, 밝은 성격까지 지니고 있어 원진은 항상 친구들에게 둘러싸여 있다. 조용한 나와는 정반대의 성향이라 신기하기도, 부럽기도 해서 가끔 힐끔힐끔 쳐다보게 된다.

3교시가 끝나는 종소리가 울려 퍼지자, 신이 난 원진의 목소리가 귀에 들어왔다. 나는 나도 모르게 고개를 들어 원진을 쳐다보았다. 원진은 창밖을 보려다 나와 눈이 마주친 듯했다. 순간 당황했지만, 예쁜 미소를 지어주는 원진, 나도 살짝 미소를 지었다.

오늘 4교시는 친구들이 좋아하는 체육 시간이다.

체육복으로 갈아입고, 답답한 교실을 벗어나 따스한 햇살이 반겨주는 운동장으로 향했다. 시원한 공기를 마시고 나니 조금은 살 것 같았다.

두 팀으로 나누어 여자 친구들은 피구를, 남자 친구들은 축구를 진행했다.

소심한 데다 공까지 무서워하는 나는 피구 경기에 끼지 못하고 벤치에 앉아 있었다.

"패스."

남자아이들의 목소리가 들려왔다.

열심히 축구 경기를 하는 남자아이들 사이에서 원진이 눈에 들어왔다. 열심히 뛰고 있는 모습에 난 나도 모르게 넋을 잃고 바라보았다.

체육 수업이 끝난 후, 원진은 학교 뒷마당의 큰 나무 아래에 있는 벤치에 앉아 쉬고 있었다. 운동장에서 흘린 땀이 아직 식지 않았는지 가벼운 숨을 내쉬며 하늘을 올려다보고 있었다. 그때, 원진은 나뭇가지에 걸린 종이비행기를 발견했다.

비행기다. 종이로 만든 비행기. 튼튼하게 자라난 우리 학교 뒤편의 걸려있는. 그는 그 종이비행기를 한 손으로 잡아당겨 나뭇가지에서 끌어 내렸다. 손끝이 나뭇가지 끝에 닿는 순간, 작은 떨림이 그의 가슴을 스쳤다.

그것이 손에 들어오자마자, 그는 그것과 함께 떨어진 나뭇잎들을 툭툭 털어내고 조심스럽게 펼쳐보았다. 종이는 평범한 A4 용지처럼 보였지만, 그 안에는 특별한 이야기가 숨겨져 있었다.

-널 좋아해도 될까?

그 문구가 그의 눈에 들어왔다. 그 메시지가 자신을 향한 것인지, 아니면 다른 누군가를 위한 것인지 알 수 없었다. 그러나 그런 것은 이제 그에게 중요하지 않았다.

리안 하온   61

중요했던 것은, 그 한 문장이 그의 마음을 철렁하게 했다는 사실이었다. 한낱 종이비행기 안에 담긴 그 짧은 고백이, 마치 나무에서 떨어지는 열매처럼 그의 가슴에 깊이 박혔다. 그는 그 순간, 비행기가 단순한 종잇조각이 아니라, 자신의 마음속에 숨겨진 감정을 꺼내주고 있다는 것을 깨달았다. 비행기를 통해 전해진 그 한마디가, 그의 일상에 작은 파문을 일으키고 있었다. 이렇게 종이비행기는 그에게 새로운 시작을 알리는 빛나는 신호가 되었다.

원진의 호기심이 가득한 목소리가 도서관의 조용한 분위기를 깨뜨렸다.

"너희 혹시 종이비행기 날린 적 있어?"

그의 질문에 친구들은 서로를 바라보며 아리송한 표정을 지었다.

"그게 무슨 말이야?"

한 친구가 고개를 갸우뚱하며 물었다.

"체육 시간에 보니까, 나무에 작은 종이비행기 같은 게 걸려있더라고."

원진은 설명을 이어갔다.

"종이비행기?"

다른 친구가 궁금해하며 물었다.

"응. 평범한 A4 용지로 접은 것 같은데 안에는 메시지가 하나 적혀 있더라."

"어떤 메시지?"

친구들은 더욱 흥미를 느끼며 원진을 바라보았다.

"'널 좋아해도 될까?'라고."

원진의 목소리는 점점 떨리기 시작했다. 그는 그 말을 내뱉자마자 마치 마음속에 꽃이 만개하는 듯한 기분을 느꼈다.
"정말?"
친구들은 놀라움과 함께 원진을 쳐다보았다. 그는 그 순간, 종이비행기가 자신을 위한 사랑 고백이라고 믿고 싶어졌다. 그렇다면 이것은 우연이 아닌 운명일 테니까. 친구들은 원진의 눈빛에서 그가 느끼는 감정을 읽을 수 있었다. "그럼, 그 비행기를 찾으러 가볼까?" 한 친구가 제안했다. "응!" 원진은 결심한 듯 대답했다.

그들은 도서관을 나서며, 원진의 마음속에 피어오른 사랑의 감정을 함께 나누기로 했다. 종이비행기가 그들에게 어떤 운명을 가져다줄지, 그들은 기대에 부풀어 있었다.
이렇게 원진의 마음속에는 사랑의 씨앗이 자라나고 있었고 사랑의 메시지를 찾는 이 순간이 영원히 잊히지 않을 것이라는 확신이 들었다.

시간이 지날수록 종이비행기의 주인이 누군지 점점 더 궁금해졌다. 꼭 자신을 향한 수줍은 고백처럼 느껴졌기 때문이다.
아무런 단서 없이 종이비행기 주인을 찾는다는 게 쉬운 일은 아니었다. 하지만 원진은 포기하지 않았다. 그 메시지에 담긴 수줍은 고백이 원진을 끌어당겼기 때문이다. 원진은 학교 곳곳을 돌아다니며 누군가는 종이비행기를 날리고 있을 거라 기대했지만, 아무런 단서를 찾지 못했다. 그는 종이비행기를 날릴 만한 장소를 유심히 살펴보기 시작했다. 그리고 종종 나무 아래에 앉아 또 다른 메시지가 날아오기를 기다렸다. 원진의 마음 한구석에는 그 주인이 자신과 좋은 친구가 될 수 있을 것이라는 희망이 자리 잡고 있었다. 하루하루가 새로운 시작이라는 생각에 원진은 더욱더 설레기 시작했다.

하루 이틀, 시간은 원진의 마음도 모른 채 빠르게 흘러갔다.
매일매일 습관처럼 학교 주변을 서성이며 돌아다녔다. 종이비행기의 주인을 찾고 싶다는 간절함이 점점 커져만 갔다.

그러던 어느 날, 원진은 교실로 돌아가는 길에 또 다른 종이비행기를 발견했다. 이번엔 학교 뒷마당이 아닌, 운동장 한쪽 구석에서였다. 비행기를 집어 들고 펼쳐보니 "너에게 고백하고 싶지만 아직은 용기가 나질 않아."라는 메시지가 적혀 있었다. 원진은 문득 '종이비행기를 날린 사람이 나를 정말 좋아하고 있구나.'라는 생각이 들었다.
그러고는 종이비행기를 들고 날아온 방향을 따라가 보았다. 교실 건물 쪽으로 향하는 길을 걸으며, 원진은 주위를 살폈다. 나는 조용히 창밖을 내다보며 무언가를 생각하고 있었다. 원진은 조심스럽게 교실을 향해 발걸음을 옮겼다. 난 조그마한 손으로 종이비행기를 접고 있었다. 그 어느 때보다 섬세하고 조심스러웠다. 원진이 나를 알아본 건 아닐까? 심장이 두근거렸다. 잠시 망설이는가 싶더니 원진은 용기 내 나에게 말을 걸었다.

"안녕, 너 혹시 종이비행기 날린 적 있어?"

[A5]하루의 잔상_개문동.hwp

원진이 조심스럽게 물었다.

나는 놀란 표정으로 원진을 바라보며 순간 멈칫했다. 그러고는 곧 수줍게 고개를 끄덕였다.

"응…."

원진은 '드디어 찾았다'라는 안도의 한숨을 내쉬며 예쁜 미소를 지으며 말했다.

"혹시 그 종이비행기 말이야, 나를 향한 너의 마음이야?"

내린다는 말보다
온다는 말이 좋다

너의 마음이 내게 온다는
그 순간이

가슴속 설렘을
온몸에 퍼뜨리고

부끄러운 미소가
입가에 맴도는걸

수줍게 날아온 비행기처럼
눈앞에서 아른거릴 때

속삭이는 바람처럼
너의 마음이 내게 와서

내린다는 말보다
온다는 말이 더 좋은 이유를

이제는 알겠어
내게 오는 그 마음을

Part. 3 : 순수함

그와의 첫 만남 이후, 우리 사이에는 보이지 않는 묘한 연결고리가 생긴 것만 같았다. 처음 느꼈던 어색함과 두려움이 점차 희미해지면서, 내 마음속 깊은 곳에서 잔잔한 감동이 일렁였다. 나의 수줍은 고백이 누군가에게는 큰 기쁨이 될 수 있다는 사실을 그때 처음으로 깨달았다. 원진도 서서히 마음을 열고 나에게 다가오기 시작했다. 그는 내가 사람들과 어울리는 것을 어려워한다는 것을 이미 알고 있었기 때문에, 그의 접근은 언제나 조심스러웠다. 원진은 시간이 날 때마다 살며시 내가 있는 곳으로 다가왔다.

원진은 나에게 다가오면서 내가 편안하게 느낄 수 있도록 세심하게 배려했다. 그는 종종 나에게 점심을 함께 먹자고 했고, 나는 그의 제안에 조금씩 응하기 시작했다. 처음에는 어색하고 서툴렀지만, 점차 우리 사이에는 자연스러운 대화가 오갔다. 그의 따뜻한 눈빛과 진심 어린 말들이 나를 점점 안심시켰다. 우리는 공원 벤치에 앉아 나무 사이로 불어오는 바람을 느끼며 서로의 이야기를 나누곤 했다.

어느 날 점심시간, 원진은 나에게 물었다.

"종이비행기를 처음 날리게 된 이유가 뭐야?"

나는 잠시 망설이다가 조심스럽게 답했다.

"어릴 적에 따돌림을 당했었어. 그때부터 사람들과 거리를 두게 되었는데, 종이비행기를 접으며 마음을 정리할 수 있었어. 그런데 어느 날 네가 내 눈에 들어오기 시작했고, 멀리서 널 바라보며 내 마음을 날리기 시작했던 거야."

내 말을 들으며 원진의 얼굴에는 깊은 이해와 공감이 담겼다.

"그런 일이 있었구나. 네가 보낸 메시지 덕분에 너무 행복했어."

그는 부드럽게 말했다. 나는 그의 말에 마음이 녹아내리는 듯한 느낌을 받았다. "고마워, 그렇게 말해줘서,"라고 답하며 작은 미소를 지었다.

그 후로, 나와 원진은 더욱 깊은 유대감을 형성해 갔다. 그는 내가 더 많은 친구를 사귈 수 있도록 격려하고 도와주었고, 나는 그의 도움 덕분에 점차 다른 사람들과 어울리기 시작했다. 종이비행기는 여전히 우리 사이의 중요한 연결고리였다. 그것을 통해 우리는 서로의 마음을 전하고, 이해하고, 더욱 깊은 관계를 맺어 나갔다.

우리는 함께 많은 시간을 보내며 서로의 이야기를 나누었다. 원진은 나의 과거 상처를 이해하려 노력했고, 나는 그의 따뜻한 마음에 점점 더 끌리게 되었다. 그는 내가 자신감을 회복하고 사람들과의 관계를 맺어 나가는 모습을 보며 진심으로 기뻐했다. 우리는 서로에게 큰 힘이 되어주며, 함께 새로운 시작을 맞이하고 있었다.

원진과의 관계는 나에게 큰 변화를 가져다주었다. 그의 배려와 이해는 나의 마음을 치유해 주었고, 나는 그와 함께 새로운 나를 발견하게 되었다. 우리는 매일매일 함께하는 순간들을 소중히 여기며, 서로에게 더욱 깊은 애정을 쌓아가고 있었다.

시간이 흐를수록, 나는 그와 함께하는 것이 얼마나 큰 행복인지를 깨닫게 되었다. 원진은 나에게 있어서 단순한 친구 그 이상이었고, 나는 그의 존재가 나의 삶에 있어서 가장 큰 축복임을 느꼈다.

이제 우리는 함께 미래를 그리며, 서로를 위해 최선을 다하고 있었다. 종이비행기는 여전히 우리 사이의 중요한 상징으로 남아있었다. 그것은 우리에게 서로의 마음을 전하고, 서로를 연결해 주는 연결고리로서, 우리 둘 사이의 특별한 유대감을 나타내고 있었다. 나는 원진과 함께하는 이 여정이 앞으로도 계속되기를 바라며, 그의 따뜻한 손을 꼭 잡고 새로운 하루를 맞이했다.

어린 내 마음속 깊이 접어두었던
종이비행기

저 멀리 날려 보내던 기억
외로움 속에 움켜쥔 날개

작은 종이에 담긴 희망
바람에 실려 날아간 꿈

너에게 닿은 종이비행기 속
숨겨진 내 마음을 알았을까

그 날개 끝에서
내가 품었던 소망들이
조용히 풀려났을까

[A5]하루의 잔상_개문동.hwp

Part. 4 : 손끝의 설레임

꽃잎이 바람에 흩날리듯
너에게로 향하는 내 마음은
조용한 속삭임 속에서
천천히 깨어난다

네 미소는 아침 햇살처럼
내 어둠을 밝히고

네 눈빛은 잔잔한 호수처럼
내 마음을 평온하게 만든다

가슴 깊이 자리 잡은 이 마음
하루하루 더 깊어져 가고
너 없이는 더 이상
완전할 수 없음을 깨닫는다

너를 생각하면
내 가슴은 설렘으로 가득 차고

네가 있는 곳은 어디든지
천국처럼 느껴진다

이제 더는 숨길 수 없어
너에게 이 마음을 전하고자 한다

좋아해

네가 내 곁에 있어 준다면
나의 사랑이 너의 마음에 닿기를

지금 이 순간부터

영원히

원진은 시를 읽고 난 후, 나를 향해 따뜻한 미소를 지어 보였다. 그리고 나에게 할 말이 있는 듯 잠시 머뭇거리기 시작했다.

"세희야, 너에게 못한 말이 있어…. 있지…. 사실은…. 나도 너를 좋아해." 순간 나의 얼굴이 붉게 달아올랐다.

마음 깊은 곳에서 나도 모를 뭔가의 따스함이 끓어오름을 느꼈다.

심장이 콩닥콩닥, 두근거리기 시작했다. 너무 커져 버린 나의 심장 소리가 원진에게까지 들릴까 내심 걱정도 되었다.

내가 좋아하는 사람이 나를 좋아해 줄 수 있는 확률이 몇 %나 될까? 행복한 설렘에 순간 할 말을 잃었다.

우리 둘은 마주 보며 수줍은 미소를 지었다.

원진도 나와 같은 생각을 하고 있다는 사실에 나도 모르게 내 두 눈에 눈물이 고이기 시작했다.

기쁨의 눈물이었다. 우리는 서로의 진심을 확인하며 한층 더 가까워졌다.

그 이후 서로의 감정을 솔직하게 표현하며 관계를 발전시켜나갔다.

힘들 땐 서로 위로해 주고 기쁜 일이 있을 땐 그 누구보다 좋아해 주며 옆에서 서로의 든든한 버팀목이 되어갔다. 원진은 나의 일상생활에 조금씩 스며들기 시작하면서 나의 삶도 하나둘씩 변하기 시작했다.

가장 큰 변화는 그토록 어렵게만 느껴졌던 친구들이 내 주변에 생겨나기 시작한 것이다.

수업 중에 몰랐던 문제를 들고 나에게 다가와 물어보는 친구가 있는가 하면, 화장실도 같이 가자는 친구까지 생겼다. 화장실은 아무것도 아닌 것처럼 보일지 모르지만 여자 친구들 사이에서는 정말 친한 친구들이 함께 가는 장소 중의 하나이기 때문이다. 친구들과의 시간도, 원진과의 시간도 시간이 흐를수록 점점 더 소중해졌다.

행복이란 들리지 않고, 보이지 않아도 늘 곁에 있는 따스함인가 보다. 움츠러들고 보잘것없다고 느꼈던 나의 일상이 이제는 그 어떤 것보다 소중히 느껴졌다.

[A5]하루의 잔상_개문동.hwp

Part. 5 : 너라는 선물

시간이 흐를수록 우리는 서로에게 점점 더 빠져들고 있었다. 교실에서 그냥 바라만 봐도 좋고, 서로 눈만 마주쳐도 좋아서 어쩔 줄 몰라 하는 수줍은 첫사랑 느낌이랄까?

금요일 오후 친구들과 이야기하며 서 있는데 내 손에 작은 종이 하나가 닿았다. 원진은 친구들 몰래 슬쩍 내 손에 메모지를 건넨 것이었다. 다른 친구들이 알아차릴까 봐 조마조마했지만, 다행히 들키지는 않았다. 수줍게 미소 지으며 자리로 돌아와 조심스럽게 종이를 펼쳤다.
종이에는 이렇게 쓰여있었다.

'주말에 나랑 같이 자전거 타지 않을래?'

그리고 예쁜 미소 이모티콘까지…. 원진의 귀여운 데이트 신청이었다.
티는 내지 않았지만, 너무 좋아 어쩔 줄 몰랐고 내 심장은 이미 이

리저리 날뛰고 있었다. 그날 저녁, 밥을 어떻게 먹었는지 기억이 나질
않는다. 그리고 쉽사리 잠도 오지 않았다.

원진과 데이트를 할 생각에 시간이 그냥 멈춘 듯했다.

이른 아침 나는 매우 분주해지기 시작했다. 옷장에 있는 옷들을 모
조리 침대 위에 꺼내 놓았고 몇 번을 입고 또 입어보았다.
거울 속에 비친 나를 보는데 이렇게 들뜬 나의 모습이 매우 낯설게
느껴질 정도였다. 예쁘게 원피스를 입고 집 앞을 나서는데 멀리서 자
전거를 탄 남자가 손을 흔들며 다가왔다. 그 남자는 바로 원진이었다.
'정말 자전거 데이트네.'
나는 순간 내가 드라마의 여주인공이라도 된 듯,
마음속이 설렘으로 가득 차고 있었다.

나는 원진과 인사를 나눈 뒤 자전거 뒷자리에 올라탔다.
자전거를 처음 타보는 나는 뒷자리이긴 했지만, 겁이 나기 시작했
다. 굳어진 나의 얼굴을 본 원진이 물었다.

"세희야, 혹시 자전거 타보는 거 처음이야?"
"응, 처음이야."
나는 수줍게 답했다.
"그래? 이게 꽤 기분이 좋은걸?" 원진이 장난기 섞인 웃음을 지으
며 말했다.
"응? 왜 기분이 좋은데?"
"내가 너의 처음을 함께하는 사람인 거잖아. 물론 자전거를 타는
것뿐이긴 하지만 앞으로 우리가 함께할 처음은 많을 테니까 지금은
이걸로 만족할래."
나는 그 말을 듣고 얼굴이 달아올랐다. 내심 뒷자리여서 다행이라

고, 원진이 달아오른 나의 얼굴을 보지 못해서 다행이라고 생각이 들 정도로 말이다.

원진의 진심을 듣고 나니 무서움이 조금씩 사라지고 있는 것 같았다. 아니, 설렘이 무서움을 덮치고 있다고 해야 맞는 걸까?
혼자 생각하며 멍을 때리고 있는데 갑자기 원진이 나의 손을 자기 허리 쪽으로 끌어당겼다.

"세희야. 나 놓치지 마, 달린다."
나는 의도치 않게 원진의 허리를 와락 껴안아 버렸다.
너무 당황스러웠지만, 내심 좋았다.

원진은 자전거를 조심스럽게 출발시켰고,
시원한 바람에 원진의 향수 냄새가 내 코끝을 스쳤다.
우리의 속삭임처럼 신나는 바퀴 소리가 귀에 들려왔다.

도로를 지나면서 나무들이 푸르른 그늘을 드리우고, 햇살이 따사롭게 우리의 얼굴을 비추었다.
만약 지금, 이 순간이 꿈이라면 깨어나고 싶지 않았다.
이 세상에 둘만 있는 듯한 느낌이 들었다.
'달콤한 사탕을 입에 여러 개 넣은 것 같다고 표현하면 맞을까?'라고, 생각될 정도로 매우 행복했다.

너는 어떠니
나는 수줍은데

너는 어떠니
나는 설레는데

너는 어떠니
내 눈에는 너만 보이는데

너는 어떠니
나는 행복한데

너는 어떠니
나는 보고 싶은데

너는 어떠니
나는 좋아하는데

너는 어떠니
나는 사랑하는데

그러니
너는 어떠니

Part. 6: 하루의 잔상

우리는 서로의 진심을 확인한 후, 새빨간 인연의 끈이 서로를 잡아 당기듯 더욱 깊은 관계로 발전해 나갔다. 나는 원진과 함께하면서 내가 얼마나 많은 변화를 겪었는지 깨닫게 되었다. 나는 더 이상 혼자가 아니었고, 원진이라는 든든한 친구이자 하나뿐인 연인이 생겼다.

나는 원진과 학교생활 말고도 함께 많은 경험을 했다. 우리는 함께 도서관에 가서 서로가 좋아하는 책을 추천해 주기도 했다. 나는 내가 어릴 적부터 좋아하던, 친구를 잃었을 때 나의 유일한 친구가 되어주었던 책을 처음으로 원진에게 소개해주었다. "이 책은 어릴 적부터 내가 가장 좋아했던 책이야. 내가 그 상처로 힘들어했을 때 나에게 가장 큰 위로이자 유일한 친구가 되어주었던 책이지, 너에게 처음으로 말해주는 거야."

"너에게 정말 큰 의미가 담긴 소중한 책이구나, 그 책 이름이 뭐야?" 원진이 물었다.

"하루의 잔상." 나는 대답했다. 나에게 가장 소중했던 그것의 이름을 말이다.

원진은 나의 이야기를 듣고는 그 책을 빤히 바라보며 생각에 빠진 듯했다. 나는 책으로 향해있던 원진의 눈길을 나에게로 돌리며,

"하지만 그건 과거의 나에게 가장 소중한 것이지, 지금은 아니야."

원진은 의아한 눈빛으로 나를 바라보며 그게 무슨 뜻이냐고 물어보는 듯했다. 나는 웃으며,

"지금 나에게 가장 의미 있고 소중한 것은 원진이 너야."

원진은 황급히 나에게서 얼굴을 돌렸다. 그런 그는 입가에 은은한 미소를 띤 채 새빨갛게 귀를 불태우고 있었다.

원진은 이것 말고도 나에게 새로운 것들을 경험시켜 주려고 노력했다. 그는 자전거를 잘 타지 못해 매번 페달을 잘 못 밟아 항상 넘어져 다치고 브레이크를 잡을 타이밍을 놓쳐 가로등에 박을뻔하는 위험을 달고 사는 나에게 자전거를 알려주기도 했다. 영화 취향이 N극과 S극처럼 서로 달랐지만, 그렇기에 오히려 서로 더 잘 달라붙었다. 가끔은 투덕거렸지만 서로 양보하며 오전에는 원진이 좋아하는 액션 영화를, 오후에는 내가 좋아하는 로맨스 영화를 보며 점차 함께 있는 시간을 늘려나갔던 것처럼 말이다.

그리고 주말에는 서로를 위해 밤낮으로 열심히 준비한 도시락을 챙겨 근교로 소박한 둘만의 여행을 떠나기도 했다. 어느 날, 원진은 나에게 꼭 보여주고 싶은 곳이 있다며 나를 데리고 어딘가로 향했다. 그곳은 사람들의 발길이 닿지 않는 조용한 해변이었다. 나는 보석처럼 맑게 빛나는 바다를 바라보며 깊은 숨을 내쉬고는 말했다.
"여기 정말 아름다워."

[A5]하루의 잔상_개문동.hwp

"그렇지? 그게 내가 이곳을 좋아하는 이유야." 그가 대답했다. 나는 원진의 말을 듣고 그가 나를 이곳에 데려온 이유를 알 수 있었다. 그는 나에게 자신의 손을 건넸다. 나는 보석처럼 맑게 빛나는 바다 앞에서 보물처럼 밝게 빛나는 그의 미소를 바라보며 그의 손을 잡았다. 우리는 조용히 바닷가를 걸으며 서로의 존재를 다시금 느꼈다.

푸른 물결 위로
햇살이 반짝일 때
맞잡은 두 손

여기에서 걷는 순간
바다의 맑은 깊이처럼
우리의 마음을 비춘다

그 물결 속
빛나는 보석처럼

지금 이곳에서
이 순간만은 선물이다

바다의 숨결 속에
사랑이 스며들어
끝없이 펼쳐진 수평선처럼

하늘과 바다가 맞닿을 때까지

Part. 7 : 꽃을 좋아하는 이유

나는 원진과 함께하며 아무에게도 말하지 못한 나의 꿈을 털어놓게 되었다. "나는 어릴 적부터 글쓰기를 좋아했어. 글로 나의 마음을 표현하는 게 좋았고 글로는 나의 행복한 순간을 영원히 간직할 수 있다는 게 좋았어. 언젠가는 내가 쓴 이야기를 많은 사람에게 들려주고 싶어." 원진은 나의 솔직한 이야기를 듣고는 말했다. "그럼 그 꿈을 이루기 위해 노력하자. 내가 항상 너의 옆에서 응원할게."

좋아하는 일을 하는 것은 행복하지만 한편으로는 힘들다. 내가 겪은 행복한 일을 글로 표현하는 것이 즐겁지만 한편으로는 외로웠다. 나는 내가 쓰고 있는 우리의 이야기를 원진에게 보여주고 싶은 마음에, 아니 그저 원진을 보고 싶었던 거였을지도 모른다. 나를 칭찬해 달라고, 열심히 하는 날 위로해 달라고 말이다. 나는 원진을 찾아가 원진에게 내가 쓴 소설을 보여주며 조심스럽게 이야기했다. "사실 너와 나의 이야기를 글로 쓰고 있어. 아직 미완성이지만, 네가 읽어줬으면 해." 원진은 기쁜 마음으로 소설을 읽기 시작했다. "정말 멋진 이야기야. 네가 날 생각하는 마음이 그대로 실려있는 것 같아." 원진의 말에 지금까지 했던 고민과 걱정들이 물거품처럼 사라졌다.

"정말 그렇게 생각해? 나도 우리의 이야기가 이렇게 완성되어 간다는 게 너무 뿌듯해."

어느 날 원진은 "세희야, 내가 널 위해 특별한 선물을 준비했어."라며 나를 불렀다. 나는 원진이 준비한 특별한 선물이 무엇일지 기대되고 설레는 마음에 심장이 두근두근 뛰기 시작했다. 나는 두근대는 마음을 감추지 못하고 약간은 흥분된 목소리로 원진에게 물었다.

"우리 어디로 가?"

원진은 그런 내가 귀엽다는 듯 흐뭇한 미소를 지으며 "비밀"이라고 속삭였다. 원진은 살며시 나의 눈을 가리기 시작했다. 원진의 손이 닿은 순간 흥분된 마음은 가라앉고 마음이 편안해졌다. 하지만 나의 심장은 더욱 빠르게 뛰었다. 원진은 내가 이렇게나 많이 자신을 좋아한다는 것을 알까?

"하나, 둘, 셋"

원진이 속삭였다. 나의 눈을 가리고 있던 큰 손이 사라지자 세상이 환해졌다. 환해진 세상 속 보이는 것은 내가 좋아하는 튤립으로 가득한 정원이었다. 나는 원진을 바라보며 물었다. "이 정원이 네가 나를 위해 준비한 선물이야?" 원진은 약간은 쑥스러운 듯 작은 목소리로 "맞아, 여자들이 꽃을 좋아한다고 해서…. 요즘 글을 쓰는 널 보면 행복해 보였지만 한편으로는 힘들어 보여서 너에게 힘이 되어 주고 싶었어"라고 답했다. 아까 나의 질문에 대답해 주듯 정원은 너무나도 아름다웠다. 나는 내가 좋아하는 꽃으로 가득한 정원을 바라보며 말했다.

"여자들이 꽃을 좋아하는 이유가 뭔지 알아?"

원진이 나를 바라보았다.

"여자들이 꽃을 좋아하는 이유는 남자가 꽃집에 가서 어색해하는 그 순간까지 포함된 선물이라서 그런 거래. 그런데 난 그전까지 그 말에 뜻이 뭔지 몰랐어. 그저 예뻐서 꽃이 좋았어. 근데 이제는 그 말이 무슨 뜻인지 알 것 같아. 원래 좋아하던 꽃이 원진이 네 덕분에 더 좋아졌어."

나는 기쁨의 눈물을 훔치며 말로는 다 표현할 수 없는 이 감정을 원진에게 전했다.

"고마워, 원진아. 네가 있어서 정말 행복해."

정원은 나에게 가장 소중한 장소가 되었다.

해가 저물어가는 저녁, 하늘이 그림 같은 풍경을 선사할 때 정원에 떨어져 있는 노트 하나를 발견했다. 작은 노트 속에는 여러 말들이 하모니를 이룬 짧은 편지들이 가득했다.

"세희야, 네가 웃을 때 나는 세상에서 가장 행복한 사람이 된 것 같아."

"오늘도 네가 좋아하는 꽃을 하나 더 심었어, 네가 좋아해 줬으면 좋겠다."

"세희야, 네가 좋아하는 튤립에 무슨 꽃말이 있는지 알아? 튤립은 색이 많은 만큼 꽃말도 많대. 분홍색 튤립은 '사랑의 고백', 빨간색 튤립은 '사랑의 시작', 파란색 튤립은 '사랑의 맹세'. 우리의 사랑은 종이비행기를 타고 분홍색 튤립처럼 시작되어 빨간색 튤립처럼 서로의 사랑을 전했어. 이제 파란색 튤립처럼 너에게 나의 사랑을 맹세할게."

꽃은 시들어도 그 안에 담긴 마음은 시들지 않을 것이다.

월요일,
새싹처럼 돋아나는
우리의 사랑
빛나지 않는가

화요일,
햇살 같은 그대의 미소
꽃을 피우지 않는가

수요일,
바람에 속삭이는 나뭇잎
노래를 들려주지 않는가

목요일,
저녁노을에 물든 하늘
추억이 붉어지지 않는가

금요일,
꽃이 말하길
사랑이 시작되는 순간이 아닌가

토요일,
별이 내리는 밤
영원히 이어지지 않는가

일요일,
노트 속 짧은 편지
사랑은 언제나 살아있지 않는가

Part. 8 : 보라색 튤립

    나는 매일 아침 햇살이 꽃들을 환하게 비출 때 정원에서 책을 읽거나 그림을 그리며 시간을 보내기도 하고, 나의 가장 소중한 사람이 선물해 준 나의 가장 소중한 꽃들에 인사를 건네기도 했다.

    우리는 정원에 새로운 꽃을 심었다. 바로 보라색 튤립. 나는 원진에게 꽃을 심으며 물었다. "분홍색 튤립은 사랑의 시작, 빨간색 튤립은 사랑의 고백, 파란색 튤립은 사랑의 맹세. 그럼 보라색 튤립의 꽃말은 뭐야?"
    "영원한 사랑."
    원진이 답했다.
    "종이비행기로 시작된 사랑을 서로에게 전하고 사랑을 맹세했으니 이제 영원할 일만 남았네."
    내가 이야기하자 원진이 잠깐 놀란 기색을 하다 이내 웃으며 답했다.
    "내가 하려던 말인데 어떻게 알았어?"
    나도 원진을 따라 웃으며 말했다.

"마음이 통했나 봐."

　우리는 정원 벤치에 앉아 하늘에서 수없이 쏟아져 내리는 별들을 바라보았다. "세희야, 우리 앞으로도 이렇게 함께 하자. 너와 함께라면 어떤 것도 두렵지 않아." 원진이 말했다. 나는 원진의 손을 꼭 잡고 대답했다. "나도 그래, 원진아. 네가 있어서 나는 매일이 행복해. 우리의 이 사랑이 영원하길 바라." 우리는 하늘에서 수없이 쏟아지는 별들처럼 반짝이는 서로의 눈을 바라보며 밤하늘이라는 도화지에 곡선을 그리며 내리는 별똥별처럼 미소 지었다. 나는 그 순간 우리의 사랑이 영원할 것이라고 다시 한번 느꼈다. 그리고 우리의 정원이 그 사랑을 증명해 주는 장소로 남을 것이라는 것도.

　시간이 흘러 계절이 바뀌어도 우리의 사랑이 만든 정원은 여전히 아름다웠다. 봄에는 형형색색의 꽃들이 피어나 설렘을 불어넣었고 여름에는 싱그러운 초록 잎들이 그늘을 만들어 주어 우리의 청춘을 만들어냈다. 가을에는 단풍이 물들며 낭만적인 풍경을 선사하였고 겨울에는 눈이 쌓여 고요한 아름다움을 더하며 즐거움을 주었다.

　우리의 사랑은 계절이 바뀌어도 변함없었고 정원은 그 사랑의 증거로 아름다움을 간직했다. 시간이 흘러도 정원은 언제나 우리의 행복한 추억으로 가득한 장소로 남을 것이다.

라일락 향기 머금은 채
내게 온 선물

사랑에 기대어
꿈을 꾸는 밤

보고픈 마음
가득 안고서

기억 속의 너

내 안에 남아
영원히 피어나는 라일락처럼

[A5]하루의 잔상_개문동.hwp

Part. 9 : 영원한 사랑의 증표

　우리는 서로의 사랑을 확인하며, 영원한 약속을 하기로 결심했다. 서로의 곁에 항상 함께할 그런 약속을. 함께라면, 서로의 곁을 서로가 지켜준다면, 거친 파도처럼 몰아치는 어떤 어려움도 이겨낼 수 있다고 믿었다.

　해가 지면서 붉게 물들어진 하늘을 배경으로 원진은 나에게 자신의 손을 건넸다. 나는 원진의 손을 꼭 잡고 하늘을 바라보며 마치 끝없는 하늘을 향해 날아오를 것만 같은 꿈을 꾸었다. 서로가 함께 있는 시간이 앞으로도 그 꿈처럼 찬란하게 빛나길.

　우리의 약속은 단순히 말에서 비롯된 것이 아닌 서로를 진심으로 위하고 소중히 하는 마음에서 비롯된 것이다. 우리는 앞으로도 함께 별처럼 빛나는 행복한 순간을 맞이하기도 하고 때론 별이 빛나기 위해 꼭 필요한 밤이라는 어둠과 같은 힘든 일도 경험할 테지. 하지만 그런 경험들을 함께 이겨내고 헤쳐나가는 과정에서 우리는 성장할 것이며 서로를 응원하는 모든 순간을 소중히 여길 것이다. 그리고 우리는 다짐했다. 우리의 사랑은 영원히 이어질 것이며, 우리의 약속은 변함없이 굳건하리라는 것을.

　정원은 원진이 나를 위해 선물해 준 특별한 장소이자 나의 가장 소중한 장소였다. 또한, 나의 작은 천국이기도 했다.
　나는 나의 가장 소중한 장소로 나의 가장 소중한 사람을 부르며 말했다.
　"원진아, 나도 너에게 특별한 선물을 준비했어. 네가 나에게 선물해 준 나의 가장 소중한 곳에서 너에게 꼭 선물하고 싶었어."
　원진은 튤립으로 가득한 정원에서 보라색 튤립으로 향해있던 눈길을 나에게로 돌리며 나를 바라보았다.
　"저번에 내가 보여줬던 이야기 기억나? 우리의 이야기 말이야. 드디어 완성했어. 보라색 튤립처럼 우리의 영원한 사랑에 증표가 되어줄 이야기." 원진이 기대에 찬 눈빛으로 물었다. "우리의 이야기의 제목은 뭐야?"
　나는 나의 세상에서 가장 소중한 것을 바라보며 우리의 세상에서 가장 환한 미소를 지으며 대답했다.

　"바람이 스쳐 간 자리"

　그때 종이비행기 하나가 또다시 나무에 걸렸다.
　우리의 영원한 사랑이 또다시 시작되었다.

[A5]하루의 잔상_개문동.hwp

내 입술을 읽어 보세요
그 속에 담긴 진심을

하나하나 세어 보세요
마음의 깊이를 재어 보세요

숨겨진 떨림의 소리를
조용히, 느리게, 사랑스럽게

입술을 타고 흘러가는
따스한 우리의 이야기

내 입술을 읽어 보세요
그 속에 담긴 영원을

마지막 페이지의 여운 : 영원의 순간, 지금의 기억

　우리의 사랑은 시간이 흘러도 변치 않고 여전히 밤하늘을 비추는 별처럼 찬란하게 빛났다. 보라색 튤립과도 같은 우리의 사랑이 말이다.

　고등학교를 졸업한 후, 우리는 서로 다른 길을 가게 되었다. 나는 원진이 응원해 준 작가의 꿈을 이루기 위해 나아갔고, 원진은 고등학교에서 이루지 못한 태권도에 대한 열정을 이어 나갔다. 비록 우리는 서로 다른 길을 걷게 되었지만 여전히 서로의 곁에서 누구보다 열심히 서로를 응원해 주는 든든한 버팀목이 되었다.

　어느 봄날, 우리는 우리의 추억이 남긴 학교 뒷마당에서 만나기로 했다. 그 나무 아래에 앉아 그동안의 이야기를 나누고 있으니 마치 고등학생 때로 돌아간 것만 같은 기분이 들었다. 나는 내가 쓴 이야기를 원진에게 들려주었고 원진은 자신이 받은 메달을 나에게 자랑했다. 그때 우리의 사랑을 이어준 나무에서 무언가 툭 하고 나의 머리 위로 떨어졌다.

94

'뭐지?'

나는 손을 머리 위로 올려 머리 위에 있는 무언가를 집었다. 그것의 정체는 바로 종이비행기였다. 우리는 동시에 서로를 바라보았다. 그리고 종이비행기를 조심스레 펼쳐보았다. 그 종이비행기에는 보라색 튤립에 꽃말이 적혀 있었다.

'영원한 사랑'이라고.

우리는 서로의 세상에서 가장 소중한 것을 바라보며 우리의 세상에서 가장 환한 미소를 지었다.

우리의 이야기는 그저 한 권의 책으로 끝나지 않았다. 서로를 향한 우정과 사랑은 시간이 흘러도 변치 않았고 앞으로도 그럴 것이다. 오늘은 서로의 손을 꼭 잡은 채 함께 끝없는 하늘을 향해 날아오르는 꿈을 꾸었다. 서로가 함께 있는 시간은 그 꿈처럼 찬란하게 빛났다. 우리는 함께 있는 모든 순간을 소중히 여기며 서로에게 가장 큰 힘이 되었다. 그렇게 우리의 이야기는 한 권의 책을 넘어, 마지막 페이지를 다 채우게 되었다.

영원한 것은 없지만, 평생을 함께할 순간은 존재한다.

시간이 지나도 변하지 않을 순간이 있음을,
그리고 그 순간을 지금 이 순간으로 만들어가고 있음을 믿는다.

리안 하온

사랑은
너와 나의 만남

하지만 그 만남은
이제 시작이었다는 것을

너는 알고 있는 거니

사랑이란 새가
마음속에 날아와

서로의 온기로 둥지를 틀고
날갯짓하는 것을

너는 알고 있는 거니

사랑은
서로의 꿈을 하나로 엮여주는 것을

너는 알고 있는 거니

제 3부

강루치나 이은서 김태환

투게더

지금까지 내 인생에서 일어난 가장 큰 사건을 꼽아보라 한다면, 난 딱 두 가지를 고를 것이다. 첫 번째는 15살, 겨울 때다. 발단은 학교가 끝난 뒤 걸려 온 엄마의 전화였다. 엄마는 웬만하면 내게 먼저 연락하는 법이 없었기에, 난 의아함을 느끼며 전화를 받았다. 시작은 흐느끼는 소리였다. 여기서부터 뭔가 심상치 않은 일이 일어나고 있단 걸 알아챘어야 했다. 울음소리는 약 10초 동안 지속되었다. 먼저 말을 걸어야 하나 고민하던 찰나에, 엄마가 힘겹게 입을 열었다.

"소망아…. 엄마가 보낸 주소로 택시 타고 와. 최대한 빨리 와. 알겠지?"
"왜, 엄마? 무슨 일인데??"

아무런 설명이 없으니 괜히 마음이 초조해졌다. 내가 알고 있는 엄마는 어떤 일이든 거뜬히 해내는 굳센 사람이었다. 그런 사람이 이렇게까지 약해져 있는 원인이 대체 무엇인지, 도저히 종잡을 수 없었다.
엄마는 내 질문에 잠시 입을 다물다가, 떨리는 한숨을 내쉬었다.

"지금…. 해피가 많이 아파. 엄마는 소망이가 해피랑 같이 있어 줬으면 좋겠어…….. 엄마 말 무슨 뜻인지 알지?"

아파? 해피가? 그럴 리가 없다. 오늘 아침까지만 해도 활기 넘쳤는데. 엄마가 장난치는 건가? 시야가 끈적하게 녹아내리기 시작했다. 머리가 어지럽고, 눈앞이 캄캄했다.

그때는 정말이지 아무것도 보이지 않았다.

내가 대체 어떻게 학교 밖으로 나왔는지, 무슨 정신으로 택시를 잡았는지 잘 모르겠다. 시야가 다시 원래대로 돌아왔을 땐, 난 병원 앞에 도착해 있었다. 접수대에서 이름을 대자, 곧바로 간호사가 날 데리고 어떤 방으로 향했다.

정육면체의 방 안에는 사람 세 명이 서 있었다. 한 명은 이름 모르는 낯선 남자였고, 나머지 두 명은 우리 엄마 아빠였다. 아빠는 참담한 표정으로 바닥을 내려다보고 있는 한편, 엄마는 하염없이 눈물만 뚝뚝 흘렸다. 둘 다 필사적으로 어딘가에서 눈을 돌리고 있었다. 내 시야는 그들의 시선을 거슬러 올라가 방의 중심에 있는 것에 도달했다.

작은 수술용 침대 위에 누워있는 그보다 더 작은 강아지. 복슬복슬해 보이는 하얀 털, 검은콩 같은 조그만 코. 세상에서 가장 사랑스러운, 내 소중한 가족. 몸을 말고 눈을 감고 있는 그 모습은 마치 낮잠이라도 자는 것처럼 보여서, 당장이라도 일어나 내게 달려올 것만 같았다.

낯선 남자의 안내에 따라, 부모님이 먼저 해피에게 그동안의 사랑을 속삭였다. 엄마는 해피의 목덜미에 입을 맞추었고, 아빠는 해피의 귀에 대고 연신 사랑한다는 말을 전했다. 내 차례가 다다르자 나는 천천히 해피한테 다가갔다. 부모님이 그랬듯 나 또한 해피에게 무언가를 전해야만 했다. 하지만 내 입은 끝끝내 열리지 않았다. 할 말이 도무지 떠오르지 않았던 것이다. 그간의 추억이 깨끗이 지워지기라도 한 듯이, 나는 해피한테 마지막 사랑을 말해줄 수가 없었다. 내가 할 수 있었던 건 그저 여태까지 몇 번이고 쓰다듬었던 새하얀 털을 부드럽게 쓸어내리는 것뿐이었다.

모든 걸 끝내고 나니, 어느새 난 방 안에 누워있었다. 불이 꺼진 방은 그 어느 때보다도 어두웠다. 그리고 조용했다. 천장을 바라보다가 방문 쪽으로 눈을 돌렸다. 문 너머는 매우 고요했다. 당연한 일이다. 엄마 아빠는 일을 나갔고, 해피는 죽었으니까. 난 다시 천장으로 고개를 돌렸다.

방 안의 공기 하나하나가 침묵을 유지하는 게 느껴졌다. 모든 것이 날 지켜보는 것만 같았다. 아무런 특색도, 특별한 일도 없는 이 방에서, 그들의 유일한 구경거리는 바로 나였으니. 내가 어떤 표정을 지을지, 어떤 행동을 할지, 빠짐없이 지켜보겠다는 듯이 그들은 입을 열지 않았다.

손을 들어 뺨을 만졌다. 피부가 건조했다. 눈물이 나지 않는다는 뜻이다. 참 미안하다. 이곳의 주인이 이렇게 재미없는 사람이라. 난 사과할 필요 없는 대상에게 사과의 말을 건네버렸다. 용서를 구해야 할 이는 그들이 아니었는데.

그날 밤, 나는 꿈을 꾸었다.
해피와 함께 공원을 산책하는 꿈이었다.
하늘은 구름 한 점 없이 맑았고, 시원한 바람은 마음을 환기해 주었다. 해피도 기분이 좋은지 어느 때보다 가볍게 공원을 질주했다. 꿈은 너무나도 현실적이었다. 만약 다른 사람이 이 꿈을 꾸었다면 이게 정말 꿈속 이야긴지 실제 기억인지 구분하지 못했을 것이다.

하지만 나는 그것이 꿈임을 바로 알았다. 해피와의 일상은 더 이상 내겐 현실이 아니었으니.

차라리 너와 함께했던 모든 순간이 꿈이었다면 좋았을 텐데.
네가 꿈이었다면, 네가 허상에 불과했다면
그런 인사 없는 작별 따위 하지도 않았을 거야.

그날 밤, 내 동반자가 날 떠나갔다.
또 다른 동반자가 날 찾아온 건 그로부터 1년 뒤의 일이다.

1

수상한 남자들

1년 동안의 내 일상은 평안 그 자체였다. 중학교 3학년이 되고, 공부에 열심히 임하고, 원하는 고등학교에 입학했다. 주변 애들과 다를 바 없는 평범한 나날들이었다.

내 생활의 궤도가 조금씩 틀어지기 시작한 건 고등학교 1학년 때부터였다. 그 시작을 이야기하려면 그들에 대한 것을 빼먹을 수 없다. 언제부터인가, 내가 다니는 학교의 학생들은 정문 앞에 서 있는 남성들을 자주 마주치게 되었다. 그들은 아무 짓도 하지 않고, 팔짱을 낀채 오후 내내 정문에만 서 있었다. 그리고 야자가 다 끝나는 밤이 되어서야 어딘가로 떠나갔다. 이렇게 매일 학교에 찾아오는 남성들을 두고 학생들 사이에서는 여러 이야기가 오고 갔다. 선생님들도 이런 낌새를 눈치챘는지, 서서히 그 남성들을 제재하기 시작했다. 하지만 그들은 결코 학교를 떠나지 않았고, 학교 측도 아무 일도 벌이지 않는 그들을 지켜보기만 하는 거로 결론을 내렸다.

그러던 어느 날, 친구랑 같이 하교하는데 남성 중 한 명이 우리에게로 다가왔다.

"거기 학생."

입학하고 나서 한 달 내내 누구한테도 말 걸지 않던 사람이 갑자기 와서 말을 건네니, 나와 친구 둘 다 깜짝 놀랄 수밖에 없었다.

검정 와이셔츠를 입은 남자는 다소 딱딱한 미소와 함께 말을 이어 갔다.

"혹시 '남예현'이라고 알아?"

당연히 모르는 이름이었다. 그래서 고개를 저으려 했는데, 옆에서 먼저 말이 나왔다.

"아, 알아요. 저희 선배님이세요."

난 또다시 놀랐다.

"아~ 그래? 잘됐네. 혹시 걔 지금 학교 안 나오니?"

"네? 아 그건 잘 몰라요…. 죄송합니다…."

친구의 대답에 남자는 미간을 찌푸리고 한숨을 내쉬었다.

"하…. 그래? 아쉽네. 일단 대답해줘서 고마워."

남자는 손을 척 들곤 다시 일행들이 있는 곳으로 걸어갔다.

교문을 빠져나와 지하철로 향하는 길에서 나는 친구에게 물었다.

"너 '남예현'이라는 사람 어떻게 알고 있는 거야? 난 처음 들어보는데…."

내 질문을 들은 친구의 표정은 세상에서 가장 멍청한 사람을 보는 얼굴이었다.

친구는 어이없다는 듯 눈을 내리깔았다.

"너 진짜 몰라? 그 선배 학교에서 유명하잖아."

"나 하나도 몰라…. 진짜로…. 가르쳐줘…. 그 선배가 대체 누군데?"

"너 우리나라 유명 생물학자 '남예준'은 알지?"

난 고개를 끄덕였다. 아무리 과학과 거리가 먼 사람이라도 '남예준'이라는 이름을 모르는 이는 별로 없었다. 국내외 가리지 않고 상이란

상은 모조리 휩쓸어 담은 과학자니까.

"그럼 쉽게 이해할 수 있겠네. 남예현 선배는 남예준의 아들이야."

"뭐?? 대박…. 아니 그런 사람이 왜 우리 학교에 다닌대?"

"그러게. 나도 그게 궁금해. 솔직히 남예현 선배 정도면 과학고는 가볍게 들어갈 수 있었을 것 같은데 말이야. 뭐 천재들 생각을 우리가 어찌 알겠니."

친구의 말에 나는 가볍게 수긍하고 넘어갔다. 다른 애들처럼 내신을 노리고 온 걸 수도 있지 않은가. 선배 생각이 어떻든 지금의 우리에겐 상관할 바는 아니었다.

그때, 또 다른 의문이 머릿속을 스쳐 지나갔다.

"아까 그 사람들, 남예현 선배를 찾았잖아. 이유가 뭘까?"

"글쎄다. 그냥 친척 아냐? 아니면 기자라던가."

친구는 그들의 목적이 뭐든 별로 신경 쓰지 않는 것 같았다. 하지만 나는 아까 본 남자의 눈빛이 가슴에 걸렸다. 선배에 대해 잘 모른다고 했을 때, 미간을 찌푸렸던 그 남자. 그의 눈은 짜증과 분노가 가득 담겨 있었다. 왜 그들은 선배를 찾았던 걸까? 이때의 나는 그 궁금증을 풀 수 없었다.

의문이 풀린 건 그로부터 일주일 뒤, 그 남자들과 재회하면서부터였다.

2

만남

'엄마 아빠 출장 갔다 올게. 돈은 부엌 식탁에 놔뒀어. 일주일 뒤에 봐.'

이제는 일상이 되어버린 일방적인 통보에 한숨을 내쉬었다. 이 일을 아예 예상하지 못했던 건 아니다. 어제 엄마가 먼저 넌지시 일 얘기를 꺼내기도 했었고. 단지 그게 오늘일 줄 몰랐던 것뿐이다. 막막함에 하늘을 올려다봤다. 깜깜한 밤하늘이 내 마음을 대변해주는 것 같았다. 맞벌이 부모님을 둔 덕에 집에 혼자 있는 건 익숙해졌지만, 일주일 동안 그 조용한 집 안에 있을 걸 상상하니 끔찍하기 짝이 없었다. 그래도 어쩌겠는가. 집은 가야지.

나는 고개를 숙이고 집을 향해 발걸음을 옮겼다.

고등학교로 올라와 좋은 점은 딱히 없지만, 굳이 꼽자면 집과 학교가 가까운 게 있겠다. 학교에서 나와 공원을 가로질러 가면 바로 집이었다. 덕분에 아침마다 여유롭게 등교할 수 있었지만, 집이 가깝다는 이유로 야자를 늦게까지 하는 건 정말 피곤한 일이었다. 월수금만 야자를 신청한 게 그나마 다행이었다.

106

노곤해진 몸을 이끌고 마을 공원 안으로 들어섰다. 규모는 작지만, 분수대도 있고 나무도 많아서 많은 사람이 이곳을 자주 방문했었다. 나도 해피가 죽기 전까진 이곳을 자주 들렀었다.

하지만 그건 이제 다 옛날 일이다. 공원 옆에 공사장이 들어선 이후론 이젠 다른 이들도 이곳을 잘 찾지 않는다. 분명 시끄러운 소리와 각종 공사 설비들 때문일 거다. 최근 느끼는 게 있다면, 시간은 무엇이든 바꿀 수 있다는 것이다. 그게 사람이든, 환경이든, 건물이든, 시간은 뭐든지 변화시킨다. 정체되기를 바라는 이가 있어도 시간은 신경쓰지 않는다. 결국, 시간 아래 있는 한 이 세상 만물은 같은 모습을 유지할 수 없다. 이렇게 생각하면 내게 찾아오는 모든 일을 수용할 수밖에 없어진다. 이미 정해져 있는 거니 어쩔 수 없는 거라고.

밤의 감성에 힘입어 난 잠깐 사색에 잠겼다. 아무도 없는 공원에 있으니 고요함이 내 온몸을 감싸는 느낌이 들었다. 풀벌레 소리를 들으며 나는 잠시 눈을 감았다.

그것도 잠시, 어디선가 기척이 느껴져 눈이 저절로 떠졌다. 반사적으로 고개를 돌려 공사장을 쳐다보았다. 하지만 그곳엔 아무것도 없었다. 미완성된 건물과 철근 따위만 남아있을 뿐. 평소라면 기분 탓이겠거니 하고 넘겼을 것이다. 밤에 혼자 공원을 돌아다니는 상황에 공포를 느낀 거라고 여겼을지도 모른다. 하지만 이번에는 무언가 이상했다. 이걸 뭐라 정의해야 할지 잘 모르겠지만…. 형용할 수 없는 무언가가 날 쳐다보는 것 같은….

"피…."

피? 잘못 들은 건가란 의문을 가지기도 전에, 소리는 또다시 내 귀에 닿았다.

"피…….."

난 정체불명의 소리가 난 쪽을 향해 재빨리 몸을 돌렸다. 시선이 다다른 곳은 수풀이었다. 마침 가로등이 그곳을 비춰주고 있었기에, 난 어려움 없이 소리의 주인을 발견할 수 있었다. 처음 눈에 띈 것은 더러워질 대로 더러워진 하얀 털이었다. 그리고 두 번째로 보인 건 커다란 두 눈이었다. 여기까지는 강아지인가 싶었다. 아니면 길고양이라거나……. 하지만 그러한 내 예측은 '그것'의 꼬리를 보고 박살 나 버렸다. 세상에 어떤 동물이 꼬리가 깔끔하게 두 갈래로 나뉘어 있을 수 있을까?

'그것'은 두 꼬리를 살랑살랑 흔들며 내게로 천천히 다가왔다. 지금까지 살면서 본 적 없는 외견에 내 몸은 경직되고 말았다. 내가 정신을 차린 건 '그것'이 내 신발까지 다다랐을 때였다. '그것'은 웰시코기처럼 짧디짧은 두 다리를 신발 위에 올렸다. 그리고 작게 한숨을 쉬고 입을 열었다.

"드디어 찾았다 피…. 다행이야 피…."

얇지만 어린아이처럼 고운 목소리. 그것은 머리를 내 발에 부비며…. 응? 잠깐만. 방금 내가 뭘 들은 거지.

"이제 살았다피…. 역시 행운은 착한 아이한테 오는 법이다피!"

내 충격 따위 신경 쓰지 않는 듯 그것은 해맑게 웃어 보였다. 녀석이 아무렇지도 않게 굴어서 생각이 잘 가다듬어지지 않았다. 난 미칠 듯이 뛰는 심장을 진정시키려 애쓰며 최대한 뇌를 활성화시켰다.

'그러니까…. 얘가 방금 말을 했나? 어…. 음…. 엥…. 어?'

안 되겠다. 이해하려 할수록 되려 멍청해지는 느낌만 든다. 인간이 아닌 생명체가 말을 한다니. 있을 수가 없는 일인데. 왜 지금 내 눈앞에서 일어나고 있는 걸까? 혹시 꿈인가 싶어 뺨을 꼬집어 보았다. 얼얼한 고통이 느껴졌다. 일단 꿈은 아닌 것 같다.

"빨리 도망치자피! 여길 빠져나가야 된다피!!!"

이해할 시간은 주지도 않겠다는 듯 그것은 내 바짓가랑이를 붙잡고 낑낑댔다. 하지만 그렇게 다급하게 말해도 난 그 상황을 따라갈 수 없었다.

"자, 잠깐…. 너 왜 말을…."

"그건 신경 쓸 때가 아니다피!! 여기 가만히 있으면 너도 위험하다피!!!"

그것은 날 끌고 가려고 온 힘을 다했다. 애를 따라가야 하나 고민하는 그때, 뒤쪽에서 누군가의 목소리가 들려왔다.

"아, 이 새끼 어디 간 거야…."

"이쪽으로 간 거 확실해?"

"응, 맞아. 이쪽이야."

남자 두 명이 서로 대화하면서 내가 있는 쪽으로 걸어오고 있었다. 나는 황급히 그것을 안고 수풀 뒤로 숨었다.

'잠깐, 내가 왜 숨었지?'

숨고 난 후에야 의문이 들었지만, 다시 모습을 드러낼 수도 없는 노릇이었다. 숨을 죽인 채 수풀 사이로 공원을 걷는 두 사람을 살펴보았다. 그들은 옷차림이 온통 검은색이라 형체를 파악하기가 힘들었다. 모자까지 푹 눌러써서 얼굴을 보기도 어려웠다. 그들 중 한 명이 머리를 긁적이며 한숨을 내쉬었다.

"하 이래서 작은 건 잡기 싫다니까."

"그사이 도망갔나 본데? 그 몸으로 잘도 도망쳤네, 진짜."

"아, 그러니까 오늘 잡지 말자니까. 어차피 며칠 지나면 본부 차가 올 텐데. 그때를 노리자고."

"야 좀 닥쳐. 그만 좀 징징대. 멀리 가진 못했을 테니 샅샅이 뒤져보자고."

또 다른 한 명이 내 반대쪽에 있는 수풀을 자세히 살펴보기 시작했다. 식겁한 마음에 몸을 웅크렸다. 그때, 덜덜 떨리는 촉감이 피부에 닿았다. 나는 내 품에 안긴 그것을 바라보았다. 그것은 눈을 감고 공포에 질린 채 떨고 있었다. 저 사람들이 이 애를 노리고 있는 걸까? 그래서 나한테 도망치자고 한 걸까? 만약 저 사람들이 애를 발견하면….

심장 박동이 미친 듯이 빨라졌다. 그러나 아이러니하게도 정신은 오히려 더 맑아졌다. 나는 조심히 주변을 살폈다. 마침 맞은편에 있는

길 하나가 눈에 들어왔다. 나는 그것의 귓가에 대고 조용히 속삭였다.

"너, 내 가방 안에 들어올 수 있어?"

"어…?"

그것은 큰 눈을 끔벅거리며 날 쳐다보았다. 설명할 시간이 없었기에 난 가방을 앞으로 둘러매고 지퍼를 열었다.

"얼른 들어와. 빨리!"

조용한 재촉에 그것은 재빨리 내 가방 안으로 들어갔다. 다행히 가방은 그것을 무사히 포용할 수 있었다. 숨구멍만 남기고 지퍼를 닫은 뒤, 몸을 숙인 채 맞은편으로 빠르게 뛰었다.

길에 들어서자 나는 가방을 메고 평범하게 걷는 척을 했다. 밤에 하교하는 학생인 것처럼. 얼마 지나지 않아, 그 사람들이 날 발견했는지 큰소리로 외쳤다.

"어이, 거기 학생!!!"

몸을 움찔거리며 고개를 돌렸다. 그들은 잔디밭을 지나 내게 걸어왔다.

"학생, 혹시 주변에서 이상한 거 못 봤어?"

"아뇨…. 못 봤는데요…."

떨리는 목소리를 애써 진정시키며 대답했다. 다행히도 내 연기가 그리 이상하지는 않은 것 같다. 그들은 머리를 긁적이며 손을 까딱거렸다.

"그래? 그럼 학생 빨리 가. 이런 늦은 시간에 돌아다니면 위험해."

"네…. 감사합니다."

난 고개를 숙인 뒤 출구로 향하는 발걸음을 재촉했다.

그때였다.

"피잇!!!"

가방 안에서 날카로운 울음소리가 튀어나왔다. 나와 두 남자 모두 당황한 채 행동을 멈추었다. 아무도 예상하지 못한 상황에서 그 누구도 섣불리 말을 꺼낼 수 없었다. 어색한 침묵이 맴도는 셋 사이에서 가장 먼저 상황 판단을 내린 건 나였다. 나는 해명할 생각도 없이 최대한 빠르게 달렸다. 그들도 판단을 내렸는지 이어서 뒤쫓아오는 소리가 들려왔다.

"저 새끼 잡아!!!"

공원을 빠져나온 뒤, 내가 향한 곳은 집 쪽이 아니었다. 난 방향을 틀고 사거리 쪽으로 뛰었다. 뒤를 돌아보면 그 남자들이 가까운 거리에 있을 것 같아서, 함부로 고개를 돌리지도 못했다. 달리는 도중 가방에서 목소리가 들려왔다.

"정말 미안해피…. 날카로운 게 몸을 찔러서…. 너무 아파서 소리를 질러버렸다피…."

가방 안에 있던 필기구가 녀석의 몸을 찌른 모양이었다. 뭐라 할 마음도, 할 말도 없어서 그냥 입을 다물었다. 숨이 차오를 때쯤, 저 멀리 익숙한 불빛이 눈에 띄었다. 파란색과 하얀색이 뒤섞인 간판, 경찰서였다. 나는 있는 힘껏 달려 경찰서 안으로 거의 몸을 내던지다시피했다. 갑자기 학생 한 명이 경찰서 문을 박차고 들어오자 안에 있는 사람들은 당황한 얼굴로 날 바라보았다. 난 숨을 헉헉대며 몸을 일으켰다.

"헉…. 헥…. 저 좀…. 도와주세요…."

3

이상한 아저씨

"그러니까…. 말을 하는 동물이 있는데… 그걸 잡으러 온 사람들한테 쫓겼다고?"

접수원이 다시 되짚어주며 하는 말은, 내가 생각해도 정말 말도 안 되는 이야기였다. 하지만 내가 그동안 한 말 중 거짓말은 단 하나도 없었다.

"정말이라니까요? 얘 진짜 말해요!!"

나는 가방에서 그것을 꺼내 접수원한테 들이밀었다. 꼬질꼬질한 상태의 사물을 갑자기 코앞에서 보여주는 게 불쾌했는지 접수원은 표정을 구겼다. 그는 의심 가득한 표정으로, 그것을 가리키며 물었다.

"그러니까…. 이게 말한다고?"

"네 말해요! 야, 빨리 무슨 말이라도 좀 해봐!"

어처구니없게도 방금 공원에서는 조잘조잘 잘만 얘기했던 그 녀석은 다시 입을 다문 채 커다란 눈만 반짝이고 있었다.

"야! 아까까진 잘만 얘기했잖아! 근데 왜 지금은 조용히 있어?!"

"학생도 그 인형처럼 조용히 있어 주면 좋겠네요…."

접수원은 이제 나를 정신병자를 보는 듯한 눈으로 날 쳐다보고 있었다. 그 눈빛이 울분을 더욱 증폭시켰다.

"진짜라니까요? 얘 인형 아니에요!!"

"무슨 일이길래 이리 시끄러워?"

늘어지는 목소리와 함께 수염이 가득한 한 중년 남성이 문을 열고 로비로 나왔다. 접수원은 자리에서 일어나 그 남자에게 경례했다.

"죄송합니다, 과장님. 그게, 이 학생이 이상한 소리만 해대서요···."

"무슨 이상한 소리?"

"그···. 뭔 저 동물이 말을 한다고···."

그 순간, 남성의 얼굴빛이 달라진 것처럼 보였다. 그의 시선은 잠시 내가 들고 있는 그것에게 향했다가, 다시 접수원에게로 돌아왔다.

남성은 팔짱을 낀 채 되물었다.

"말하는 동물이라고?"

"네···. 좀 정신이 안 좋은 친구 같습니다. 제가 잘 타일러서 집에 보내겠습니다."

눈앞에서 아픈 애 취급당하니 기분이 더 나빴다. 울컥한 마음에 저절로 소리가 커졌다.

"진짜라고요!!!"

"그만 좀 해, 학생! 계속 그러면 업무 방해야!!"

"잠깐."

남성이 손을 들어 이 시끄러운 상황을 중단시켰다. 그는 내게 가까이 다가와 입가에 미소를 띄웠다.

"학생, 잠깐 나 좀 따라올 수 있을까?"

분명 웃고 있는데도 어째서인지 중압감이 느껴졌다. 나는 아무 말 않고 고개를 끄덕였다. 남성은 접수원에게 말했다.

"내가 해결할게. 넌 계속 업무 처리하고 있어."

"네. 알겠습니다."

"학생, 이쪽으로 와."

그는 날 데리고 아까 나왔던 문으로 들어갔다. 문 너머에는 어두운 복도가 기다랗게 이어져 있었다. 남성은 복도 맨 끝에 있는 방 안으로 들어갔다. 따라서 방에 들어서자, 경찰서와는 굉장히 어울리지 않는 귀여운 케이지들이 눈에 띄었다. 동물을 키우는 사람들이 주로 사용하는 케이지였다. 남성은 방 한가운데에 덩그러니 놓여있는 책상에 앉고, 나에게 그 맞은편 자리를 권했다. 나는 '그것'을 책상 위에 올려놓은 뒤 의자에 앉았다. 어색한 침묵이 시작되나 싶던 그때, 그가 먼저 입을 열었다.

"일단 먼저 내 소개부터 해야겠지. 난 특별과 팀장 이석호라고 해. 날 아는 애들은 다 나를 석호 아저씨라 부르니, 너도 그렇게 불러. 학생 이름은?"

"넵⋯. 전 이소망이라고 해요."

"그래, 소망 학생. 잘 부탁해. 난 원래 이 구역 경찰이 아니야. 좀 시골 쪽에서 일하고 있었지. 근데 위쪽 명령 때문에 여기로 오게 됐어. 일단 중요한 건, 이게 아니고."

석호 아저씨는 두 손을 모으고 진지한 눈으로 날 쳐다보았다.

"너, 그 꼬질이가 말할 수 있다고 했었지?"

나는 고개를 끄덕였다. 석호 아저씨는 작게 호응 소리를 내고는 시선을 '그것'에게로 돌렸다.

"야, 꼬질이. 내 앞에선 말해도 돼. 난 너랑 같은 애들을 잘 알거든. 물론 널 사냥할 생각도 없어."

아저씨는 뜻을 알 수 없는 말을 중얼거렸다. 그러자, '그것'의 몸이 살짝 움직였다. '그것'은 작은 몸으로 기지개하며, 입을 열었다.

"피이⋯. 여긴 안전하다는 거 맞지피? 다행이다피⋯. 죽는 줄 알았다피⋯"

다시 보니 정말 기괴한 광경이었다. 또 놀라서 경직된 나와는 달리, 아저씨는 익숙한 사람처럼 태연히 '그것'을 대했다.

"어쩌다 이곳에 왔지? '스피커'는 산지에 없는 줄 알았다만."

"난 잘 모른다피. 눈을 떠보니 이곳이었고, 웬 인간들한테 쫓기게 된 거다피."

"새끼인가…. 귀찮게 되었구만."

"자, 잠깐만요!! 무슨 이야기를 하시는 거예요?"

대화 내용을 따라갈 수 없었는지라 결국 중간에 끼어들어 대화를 멈추었다. 석호 아저씨가 아차 싶었는지 미안한 표정을 지었다.

"미안해, 학생. 학생만 빼고 얘기를 해 버렸네."

"아뇨…. 괜찮아요…. 근데, 아저씨는 얘를 보고도 왜 놀라지 않는 거예요?? 아저씨는 얘가 누군지 아세요?"

내 질문에 아저씨는 잠시 턱수염을 매만지며 고민했다.

"흠…. 내가 소속된 특별과가 이런 애를 다루는 과라서. 얘네가 누군지는 자세히 설명해 줄 수 없어. 자세히 말해줬다간 학생이 위험한 일에 휘말릴 수도 있거든."

그 말을 듣자, 아까 있었던 추격전이 떠올랐다. 나는 고개를 숙이고 얌전히 수긍했다.

"그나저나…. 넌 이름이 뭐냐?"

그러고 보니 지금껏 이 녀석한테 이름을 물어보지 않았다는 게 떠올랐다. 너무 급박한 상황이었던지라 물어볼 생각조차 하지 못했다.

아저씨의 물음에 '그것'은 두 갈래의 꼬리를 살랑살랑 흔들었다.

"이름 없다피! 잊어버렸다피!"

"그걸 그렇게 해맑게 말해도 되는 거냐?"

아저씨는 헛웃음을 내뱉었다. 따라서 웃는데, '그것'이 내게로 성큼성큼 다가왔다.

녀석은 눈을 반짝이며 날 뚫어져라 쳐다보았다.

"혹시, 네가 내 이름을 지어줄 수 있냐피?"

"내, 내가?"

"네가 지어주면 좋을 것 같다피!"

그것은 폴짝폴짝 뛰며 기대하는 눈빛을 보냈다. 곤란한 마음에 아저씨에게 시선을 보냈지만, 아저씨는 어깨만 으쓱거릴 뿐이었다. 하는 수 없이 난 무슨 이름이 좋을지 고민에 빠졌다. 곰곰이 생각해 봐도 딱히 떠오르는 이름은 없었다. 나는 최대한 머리를 굴린 끝에 그럴듯한 이름을 꺼냈다.

"피…. 피이…. 파이…. '파이'…. 어때?"

내가 봐도 좀 구린 이름이었다. 하지만 이런 것도 녀석에게는 마냥 좋은 모양이었다. 그것은 행복과 감격이 깃든 미소를 지었다.

"파이…. 좋다피!!! 지금부터 내 이름은 파이다피!!!"

파이는 신난 듯 책상 위를 방방 뛰어다녔다. 석호 아저씨가 손을 들어 제지하고 나서야, 파이의 흥분은 잦아들었다.

"그래, 파이. 이름 생긴 거 정말 축하해. 근데, 난 아직 너랑 이 아이한테 물어볼 게 남아서 말이야. 좀 진정해 줄 수 있겠니?"

"피이…. 알았다피…"

"학생, 학생한테도 물어볼 게 있어. 어쩌다가 파이를 만나게 된 거야?"

나는 석호 아저씨한테 아까 있었던 일을 설명했다. 야자가 끝나고 하교하던 중 공원에서 낯선 사람들한테 쫓기는 파이를 만났다. 그리고 덩달아 그 사람들에게 쫓기다가 경찰서에 당도했다. 이야기하면 할수록 아저씨의 얼굴은 더더욱 심각해졌다.

"이거 큰일인데…. 이러다 너도 휘말릴 수도 있겠어."

"저…. 아저씨, 그 사람들은 대체 뭐예요?"

전까지는 생글생글하던 아저씨의 미간이 구겨졌다.

"쓰레기들이야. 아니, 쓰레기란 말도 아까워. 아주 질 나쁜 놈들이거든. 목적을 위해서라면 어떤 수단도 가리지 않아. 그러니 엮이면 너만 피해를 받아."

아저씨는 진지한 어투로 내게 말했다.

"당분간 넌 조심히 다닐 필요가 있어. 다행히 밤이라 네 얼굴을 제대로 못 봤을 수도 있지만, 만약 봤다면 네가 위험해. 일단 오늘은 내가 집까지 데려다줄게."

"아, 아녜요!! 저 여기서 집 가까워서 걸어갈 수 있어요⋯."

"그래도 혼자 다니는 건 안 돼. 지금 시간도 많이 늦었잖아. 내가 차로 데려다줄 테니 사양하지 마."

이렇게까지 권하는데 거절하는 것도 예의가 아니었다. 어쩔 수 없이 나는 고개를 끄덕였다.

석호 아저씨는 자리에서 일어나며 파이의 머리를 만졌다.

"그리고, 이놈은 여기서 돌볼게. 여기 있는 한 안전할 거야."

"아, 네. 정말 감사합니다."

나는 연신 허리를 숙이며 감사를 표하였다.

4

파이

   경찰서랑 집은 그리 멀지 않은 거리에 있었기에 차도 금방 집에 도착하였다.

   난 아저씨께 예의 바른 인사를 한 뒤 곧바로 아파트 안으로 들어갔다. 현관문을 열자마자 몸이 저절로 바닥에 쓰러졌다. 온갖 피로가 몸 전체에 뒤덮여 있는 상태라 손가락 하나 까딱할 수 없었다. 아무도 없는 집이 이렇게 편안하게 느껴진 건 이번이 처음이었다. 차가운 바닥과 볼을 맞댄 채 나는 아까 겪은 상황을 머릿속에서 회상했다. 공원에서 사람 말을 하는 동물을 만나고, 그 동물을 노리는 사람들한테 쫓겼다. 그리고 수상한 경찰 아저씨와도 만났다. 이 일들이 모두 하룻밤 사이에 일어난 일이라는 게 믿기지 않았다.

   '그 동물은 대체 뭐였을까…?'

   말을 할 줄 아는 동물이라니. 그런 판타지에서나 나올 것 같은 생물은 본 적도 들은 적도 없었다.

   '뭐 아무튼 아저씨한테 맡겼으니. 더 이상 신경 쓰지 않아도 되겠지!'

   귀찮은 일에는 말려들지 말자는 게 내 신념이다. 더군다나 그게 동물에 관련된 일이라면 더더욱 사양이었다. 오늘은 상황이 특별했으니 예외지만, 다음부터는 그런 일에 휘말리고 싶지 않았다. 난 피곤한 몸을 이끌고 소파에 누웠다. 그리고 TV를 틀려고 리모컨을 찾았다. 그러려고 했는데….

'뭐야. 어디 갔어.'

있어야 할 자리에 물건이 없는 걸 보자 몸이 벌떡 일어나졌다. 분명 아침에 집 밖으로 나서기 전, 나는 리모컨을 탁자에다 올려다 두었다. 그런데 탁자에는 아무것도 없었다. 귀신이 곡할 노릇이라는 말을 이럴 때 쓰는 걸까. 그때, 어디선가 이상한 소리가 들려왔다.

"우물우물…."

"응?"

뭐라 형용할 수 없는 소리였다. 뭘 먹고 있는 소리라고 해야 할까? 아니면 뭔가를 열심히 핥는 소리라고 해야 할까?

"무므음…. 암…. 우…."

'뭔 소리야 이게.'

소리의 근원지는 소파 밑인 것 같았다. 의아함을 느끼며 몸을 숙여 밑을 살피는 순간,

"소망이다피!!!!"

"으악!!"

하얀 무언가가 튀어나와 내 얼굴을 정통으로 가격했다. 무방비 상태였던 나는 공격을 맞고 그대로 나가떨어졌다. 상황을 파악할 새도 없이, 그 무언가는 바닥에 쓰러진 내 몸 위에 올라타 방방 뛰었다.

"역시 맞았어피!!! 맞았다구피!!! 내 기억은 틀리지 않았다피!!!"

익숙한 말투였다. 난 얼얼한 코를 붙잡고 내 눈앞에 있는 생명체를 바라보았다. 아까랑 털색은 다르긴 하지만, 커다란 파란 눈, 그리고 두 갈래로 나뉜 꼬리…. 분명히 아까 석호 아저씨한테 맡긴 파이가 내 눈앞에 있었다.

"너…!! 어떻게 여기까지 온 거야?!!!"

당황스러운 마음에 소리부터 내질렀다. 방금 녀석을 볼 때 느꼈던 감정이 충격과 공포였다면, 지금은 살짝 달랐다. 어이가 없다. 이 표현이 가장 정확하겠다. 하얀 생물은 왜인지 뿌듯한 미소를 지으며 고개를 쳐들었다.

"엣헴! 난 기억력이 좋다피! 그러니 소망이 집까지 올 수 있었던 거다피!!"

기억력이랑 우리 집 온 거랑 대체 뭔 관계가 있는 걸까. 아는 사람이 있다면 당장이라도 물어보고 싶다. 그 생명체는 바로 코앞까지 제 얼굴을 들이밀며 말했다.

"역시, 소망이가 맞다피! 널 꼭 만나고 싶었다피!"

"만나고 싶었다고…? 아니, 잠깐만…. 너, 어떻게 내 이름을 알고 있는 거야?"

어째 얘랑 마주할수록 의문만 더 쌓여가는 느낌이 든다. 녀석은 내 질문에 대답할 생각이 없는 듯 배 위를 신나게 폴짝폴짝 뛰어다녔다. 소형견이 몸에 올라타도 은근히 무거운데, 그 크기의 생명체가 점프하기까지 하니 아주 죽을 맛이었다.

"야, 아파!! 알았으니까 좀 내려와 봐!!!"

"앗! 미안하다피!!"

놈은 재빨리 바닥으로 내려왔다. 내가 캑캑대자 미안한 듯 두 눈을 내리깔았다.

"정말 미안해피…. 나는 그냥 반가워서…."

"넌 반가우면 다짜고짜 상대방을 때리나 봐."

퉁명스럽게 대꾸하자 기세가 더 사그라들었다. 조금 전까지는 활발했던 애가 저러니 어쩐지 죄책감이 들었다. 하지만 얘 때문에 낯선 사람들한테 쫓기고, 경찰서에서 수치를 당했다고 생각하니 불쌍한 마음이 깔끔하게 사라졌다.

"너 왜 경찰서에 있지 않고 우리 집으로 온 거야?"

"거기는 너무 답답하다피! 나는 소망이 너랑 같이 있고 싶다피!!"

"하아…."

답답함에 두 손으로 얼굴을 쓸어내렸다. 얘는 말을 할 줄 알면서, 사람 말을 들을 줄은 모르는 걸까? 말이 안 통함에도 내 말을 잘 들었던 해피가 무척이나 그리워졌다.

"너 아까 아저씨 말 못 들었어? 너랑 같이 있으면 우리 둘 다 위험해. 그러니까 얼른 거기로 돌아가."

최대한 차갑게 말한 건데도 파이는 신경 쓰지 않는 것 같았다. 녀석은 해맑게 웃으며 말했다.

"싫다피!"

"왜?!"

"우리는 기본적으로 이 세상의 인간을 신뢰하지 않는다피. 선한 인간이든 악한 인간이든, 신뢰를 쌓기에는 굉장히 오랜 시간이 걸린다피. 하지만 소망이는 예외다피. 왜냐면 소망이는 날 구해줬으니까피!"

파이의 말은 명쾌하면서도 이해하기가 어려웠다. 이렇게 계속 대화하다간 밤이 순식간에 지나갈지도 몰랐다. 난 일단 한 수 접고, 궁금한 것을 물어보기로 했다.

"그래…. 알았어…. 근데 네가 말하는 '우리'란 대체 뭐야?"

파이는 할 말을 생각하는지 짧은 다리를 모으고 표정을 살짝 찌푸렸다.

"'우리'는 문을 넘어 이 세상으로 넘어왔다피. 출발지는 같았지만, 도착지는 모두 달랐다피. 우리는 각자 목표하던 곳에 떨어졌고, 그렇게 이 세상을 떠돌게 되었다피."

"목표…? 너네들의 목표가 뭔데?"

"우리는 이 세상에서 만나고 싶은 사람이 있다피. 물론 만나고 싶은 사람은 각자 다르다피. 우리는 각자 보고 싶은 사람을 찾기 위해 문을 넘어왔고, 그렇게 이 세상에서 살게 된거다피."

그렇게 말하는 파이의 얼굴엔 기대와 희망이 떠올랐다. 그러나 그 감정 뒤로 언뜻 한없이 깊은 슬픔과 그리움이 엿보이기도 했다. 파이도 누군가를 찾고 싶어 이 세상에 온 걸까?

"네가 찾고 싶은 사람은 누군데?"

"내 주인이다피. 원래 세계에서 날 키워준 주인 말이다피. 난 주인과 함께 행복하게 살고 있었다피. 하지만 어느 날 갑자기 주인은 날 떠나버렸다피. 난 주인을 찾기 위해 이 세상에 온 거다피. 아, 이 얘기는 비밀이다피! 아무한테도 말해주지 마라피!"

"주인이라…. 그럼 넌 왜 그렇게 그 사람을 다시 만나고 싶어 하는 거야?"

내 질문에 파이는 잠깐 침묵을 유지했다. 식은땀과 뻐끔거리는 입을 보니, 일부러 말을 안 하기보단 말을 못하는 것에 더 가까워 보였다.

"알았어, 알았어. 말하고 싶지 않으면 안 말해도 돼."

내가 손을 흔들자, 파이는 안심한 듯 한숨을 푹 내쉬었다.

나는 입술을 깨물며 잠시 생각에 잠겼다. 파이가 말한 사연이 예상보다 좀 어두운 것도 있지만, 파이의 주인이 살짝 부럽기도 했다. 얼마나 좋은 사람이길래 반려동물이 세상을 넘어와 다른 세상에서까지 찾으려고 애를 쓸까. 난 냉정히 말했다.

"네 말을 들으니 확실한 게 하나 생겼네. 역시 넌 나랑 같이 있으면 안 돼."

"왜냐피?!!"

"난 너한테 아무 도움도 줄 수 없으니까. 난 학생이라 사람을 찾아줄 수도 없고, 널 키울 수도 없어. 반대로 경찰은 가능하지. 경찰이랑 있으면 네가 찾는 사람도 쉽게 찾을 수 있을 거야. 그러니까 어서 가!"

난 현관문을 가리키며 소리쳤다. 그러나 파이는 뚱한 표정으로 바닥에 발을 고정한 채 움직일 생각을 안 했다. 밀려고 해봤지만, 소용이 없었다. 파이는 목석처럼 아무리 몸을 써도 조금도 위치가 변하지 않았다. 조그만 게 왜 이리 무거운 건지 원. 파이를 미는 내내, 녀석은 계속 징징거리기만 했다.

"싫다피. 나는 너랑 있을 거다피~"

"빨리 나가라고…!"

"이런 밤에 나가면 또 그 녀석들을 만날지도 모른다피. 그럼 조그마한 난 바로 잡힐 거다피. 그리고 죽겠지피! 만약 내가 나갔다가 잡히면 전부 네 탓이다피!!!"

이 비겁한 놈을 봤나. 왜 지구에 얘처럼 말하는 동물이 없는지 알겠다. 얘가 말하는 꼴을 보니 없는 편이 훨씬 나았다. 도저히 정이 붙지를 않지만, 파이가 소리치는 걸 들으니 마음이 약해지는 건 사람으로서 어쩔 수 없는 도리였다. 이 세상 어떤 인간이 자신 때문에 한 생명이 죽어버리는 걸 가만히 놔둘 수 있을까. 난 결국 백기를 들 수밖에 없었다.

"좋아. 알았어. 여기서 지내도 좋아. 대신 하룻밤만이야. 내일 아침이 되면 바로 석호 아저씨한테 데리고 갈 거야."

"야호! 알았다피!! 정말 고맙다피!!"

파이는 방방 뛰며 기쁨을 온몸으로 표현했다.

아침이 되자, 난 곧바로 파이를 안고 경찰서 안으로 쳐들어갔다.

마침 로비에 석호 아저씨가 있었다. 아저씨는 커피와 함께 신문을 보다가 갑자기 들어온 날 보고 눈을 크게 떴다.

"넌 어제…."

그리고 아저씨의 눈이 내 품에 있는 파이에게로 옮겨 갔다.

"아니, 어떻게…."

아저씨는 정말 황당한 것 같았다. 그 마음은 어제 나도 뼈저리게 느꼈기에 쉽게 공감할 수 있었다. 우리는 어젯밤의 방으로 다시 돌아왔다. 파이를 책상 위에 내려놓자, 아저씨는 녀석의 머리를 세게 내리쳤다.

"피잇!!!! 왜 때리냐피?!!"

"넌 네 스스로 너와 저 학생을 위험에 몰았으니까. 네가 혼나는 건 당연한 거지."

"그치만 아무 일 없었는데피…"

"그러니까 불행 중 다행인 거지. 하…. 케이지 안에 있었는데 대체 어떻게 탈출한 거야? 기가 막힐 노릇이군."

파이는 어제와는 다르게 아무 말 없이 눈을 내리깔고 내 몸에 철썩 붙었다. 떼려고 해 봤지만, 도저히 떨어뜨릴 수 없었다. 아무리 밀고 당겨도 떨어질 기미가 보이지 않았다. 그 모습을 가만히 지켜보던 아저씨가 헛웃음을 지었다.

"아무래도, 이놈은 소망 학생이 정말 마음에 들었나 봐."

"네??"

난 놀라서 파이를 내려다보았다. 아저씨의 말이 잘 이해되지 않았다. 어젯밤 파이를 만났을 때부터 지금까지, 난 애한테 호감이 될 만한 행동을 한 적이 없었다. 뭐 기껏해야 파이를 위험한 사람들에게서 구해낸 정도겠지만, 경찰서가 근처에 없었다면 그 구출도 무용지물이 될 뻔했었다. 그 이후에도 나는 파이한테 계속 까칠하게 대했다. 이런 사람을 마음에 들어 할 수 있다고? 나는 고개를 저었다.

"에이, 그럴 리 없어요."

"만약 학생이 원하면 파이랑 같이 지내도록 도와줄 수 있어. 물론 좀 위험하긴 하겠지만…."

"그럴 생각 없어요!"

아저씨의 제안을 난 단호히 거절했다. 더 이상 동물을 키울 생각은 없었다. 애초에 키울 수도 없었다. 아저씨는 내심 아쉬웠는지 한숨을 내쉬었다.

"그래? 곤란하네. 그럼 이 친구를 어떻게 해야 하려나. 여기 있으면 탈출하고, 본부에서 오기에는 시간이 좀 걸릴 텐데…."

아저씨는 잠시 고민하다가 손뼉을 탁 쳤다.

"아, 학생. 오삼고 학생 맞지?"

"아…. 네. 맞아요. 1학년이에요."

내 대답에 아저씨가 씩 미소를 지었다. 아저씨는 팔짱을 끼고 말했다.

"그럼 잘됐네. 오늘 학교에 가서 '남예현'이라는 사람 좀 찾아봐. 아마 2학년일 거야. 걔 만나면 내 이름과 파이에 대해 말해. 그럼 해결될 거야."

"'남예현'이요?"

어디선가 들어본 이름이다. 분명 학교에서 들었던 기억이 있는데…. 잠깐 학교?

"아저씨! 지금 몇 시 몇 분이에요?!"

"응? 8시 5분인데…. 왜?"

망했다.

나는 거의 뛰다시피 의자에서 일어나 아저씨께 허리를 숙였다.

"죄송합니다, 아저씨! 저 늦어서 이만 가볼게요!!!"

"아, 그래. 빨리 가."

아저씨는 고개를 끄덕이며 손짓했다. 가방을 메고 문밖으로 나서려는데, 신발에 무거운 게 느껴졌다. 내려다보니 파이가 초롱초롱한 눈으로 나를 올려다보고 있었다.

"소망아…. 가는 거냐피…? 나 버리는 거냐피…?"

이놈이 귀엽게 생기지만 않았다면 그냥 차버리는 건데. 혈압이 오르는 느낌이었지만 지금은 참기로 했다. 나는 가볍게 파이를 쓰다듬어 주었다.

"오후에 다시 올게. 그러니까 탈출하지 말고 기다려."

"응, 알았다피! 소망이 너만 기다리고 있겠다피!!"

밝은 미소를 짓는 파이를 보고 있자니 아까 석호 아저씨의 말이 떠올랐다. 아직은 정확히 알고 있는 게 없긴 하지만, 이것만은 딱 알 수 있겠다. 파이는 날 정말 좋아한다. 이유는 잘 모르겠지만.

5

이상한 선배

　오늘 학교생활은 거의 잠으로만 채운 것 같다. 어제부터 이어져 온 황당무계한 일들의 연속이 원인이었다. 점심시간이 되어서야 난 온전한 정신을 되찾을 수 있었다. 책상에서 일어나보니 교실에는 아무도 없었다. 다들 점심을 먹으러 내려간 모양이었다. 평소였다면 나도 빠르게 애들을 따라 급식실로 향했겠지만, 오늘은 다른 곳으로 발걸음을 옮겼다. 내가 간 곳은 2학년 층이었다. 다행히 선배들 몇 명이 복도에 있는 게 눈에 띄었다. 난 다짜고짜 한 명을 붙잡고 질문을 던졌다.

　"혹시 남예현 선배 어딨는지 아시나요?"

　"어? 남예현…? 걔 아마 도서관에 있을걸?"

　"감사합니다!"

　예의 바르게 허리를 숙인 뒤 곧바로 도서관이 있는 4층으로 걸음을 재촉했다. 복도를 걷는 내내 도서관에서 남예현 선배를 찾아낼 수 있을지 걱정했다. 아무리 학교에서 유명한 인물이라지만, 나는 그를 아예 몰랐다. 인터넷으로 '생물학자 남예준의 아들'이라고 쳐 봐도, 유용한 정보는 단 하나도 나오지 않았다. 그리고 머릿속에 떠오르는 또 다른 생각이 하나 있었다. 석호 아저씨는 왜 남예현 선배를 찾아가라고 한 걸까? 아무리 유명 생물학자의 자식이라 해도, 파이 같은 신기한 생물에 관해 유익한 도움을 줄 거라고는 생각되지 않았다.

도서관에 도착해 문을 열자, 책 냄새가 코끝을 살짝 간질였다. 도서관 안에는 따뜻한 침묵이 맴돌고 있었다. 주위를 살피는데 시야에 작은 체구의 남성이 눈에 들어왔다.

그 사람은 다른 사람의 눈에 띄는 게 목표인 것 같았다. 얼굴의 반을 차지하는 안경, 초여름과는 어울리지 않는 동복, 두 손에 낀 검은 장갑, 그리고 양옆에 가득 쌓여 있는 책까지. 누가 봐도 괴짜라 칭할 만한 사람이었다.

'딱 봐도 저 사람이 남예현이겠네.'

솔직히 말을 걸기는 좀 싫었다. 말을 걸 만한 분위기가 아니기도 했다. 그의 외견만 놓고 보면, 내 말을 아예 무시하고 자기 일에만 집중해도 이상하지 않을 것 같았다. 하지만 여기서 뒤로 돌아갈 수도 없었다. 만약 돌아갔다간 귀찮은 놈을 평생 떠안게 될지도 몰랐다. 하는 수 없이 목을 가다듬고 그에게 다가갔다.

"저기…."

"응?"

내 부름에 그는 책에서 시선을 거두고 날 쳐다보았다.

"혹시 남예현 선배 맞으세요?"

"응, 맞아. 왜? 무슨 도움이 필요해?"

생각보다 목소리가 낫긋낫긋해서 깜짝 놀랐다. 최대한 감정을 숨기고 본론부터 말하기로 했다.

"네. 도움이 필요해요. 최근에 이상한 일에 휘말렸거든요. 그…. 혹시 '이석호'라는 이름 아세요?"

순간, 예현 선배의 동공이 흔들리는 것이 보였다. 그는 자리에서 일어나 자세를 숙이고 내게 속삭였다.

"여기서는 석호 아저씨에 관련된 건 최대한 작게 말하는 게 좋아. 아저씨가 내게 전할 말이 있는 거야? 아니면 네가…."

말해야 하나 고민했다. 더 말하면 나도 더 이상 이 상황 속에서 헤어 나올 수 없을 거란 예감이 들었다. 하지만 그 예감의 근거를 정확히 내세울 수 없었기에, 결국 나는 말을 내뱉고 말았다.

"어젯밤에, 말하는 동물과 만났어요."

말을 끝내자마자, 예현 선배는 날 데리고 어딘가로 갔다. 발걸음이 너무 빨라서 뒤따라가는 것만으로 숨이 벅찼다. 우리는 '출입 금지'라 적힌 표지판이 있는 숲에 들어가 오솔길을 따라 걸었다. '이래도 되는 걸까?'란 생각이 들 때쯤 숲 중간에 있는 낡은 창고가 눈에 띄었다. 창고 문에는 팻말이 하나 달려 있었다. 그리고 그 팻말 위에 적힌 '생물 동아리'란 문구가 눈에 들어왔다. 이 단어를 보고 난 다소 놀랄 수밖에 없었다. 우리 학교에 생물 동아리가 있을 거라고는 상상하지 못했기 때문이었다. 선배가 문을 열자마자 먼지가 코와 눈을 덮쳐서 연신 기침하였다.

"콜록콜록!! 켁켁…!!"

"앗, 미안…. 청소한 지 오래됐거든…."

선배는 창문을 열고 답답한 창고 안에 환기를 시켰다.

눈물을 닦고 안을 살폈다. 지금 보니 여긴 거미줄과 먼지가 가득하다는 것을 빼면 창고와는 거리가 먼 건물이었다. 굳이 비유하자면 공사장이 가장 알맞겠다.

"선배, 여긴 대체 뭐예요?"

"내 비밀기지. 정확히 말하면 여기보다는 밑이 더 맞겠지만."

선배는 영문 모를 소리를 하며 구석에 있는 종이 박스를 치웠다. 그러자 바닥에 있는 네모난 문이 드러났다. 예현 선배는 문을 열고는 안을 가리켰다.

"바로 이 밑이야."

"꾸아아아아아아아악!!!!!"

선배의 말이 끝나기가 무섭게, 밑에서 귀가 찢어질 듯한 굉음이 들려왔다. 난 어안이 벙벙해져 있는데, 선배는 아무렇지도 않은 듯 그저 웃기만 했다.

"하하…. 내가 어제 들르지 않아서 다들 흥분했나 봐. 그래도 난폭한 애들은 아니니까 걱정하지 마."

태연히 지하로 내려가는 선배의 뒤에 대고 물었다.

"'다들'이라뇨?!! 아니 저 밑에 대체 뭐가 있는 건데요?"

"뭐냐니."

선배는 고개를 돌리고 입꼬리를 씩 올렸다.

"환상의 생물이지."

6

환상의 생물

지하로 가는 길은 어두웠다.

그래도 아까 그 창고보다는 먼지가 적어 훨씬 나았다. 한 5분 정도 걸었을까, 선배와 나는 문 앞에 다다랐다. 문을 열기 전, 선배는 내게 간단히 충고를 남겼다.

"놀라도 절대 크게 소리를 지르면 안 돼. 네 안전을 위해서 하는 말이야."

"예, 알겠어요. 선배."

난 침을 꿀꺽 삼켰다. 왜인지 가슴이 진정되지 않았다. 선배는 문고리를 돌리고, 문을 천천히 밀었다. 문틈 사이로 빛이 스며들어와 나는 눈을 감을 수밖에 없었다. 아까까지 어둠 아래 있었기 때문에, 불빛에 적응하는 시간이 필요했다. 살짝 눈을 떠봤지만, 시야는 아직 흐릿했다. 그때, 저 위에서 쉭 하고 낯선 소리가 들려왔다. 나는 고개를 들어 천장을 올려다보았다. 뿌연 시야를 통해 허공을 날아다니는 하얀 무언가를 보았다. 처음에는 비둘기인 줄 알았다. 그러나 이내, 내 생각이 틀렸음을 깨달았다. 새라고 생각했던 그것은, 날개가 달린 새하얀 말이었다.

"우와."

놀라움에 작게 탄성을 내질렀다. 만약 내가 전날 파이를 만나지 않았더라면, 이 순간을 꿈으로 치부했을지도 모른다. 지금 내가 보고 있는 광경이 실제라는 것을 알기에, 나는 더더욱 놀라움을 감출 수 없었다. 나를 감탄시킨 것은 저 천장의 말뿐만이 아니었다. 지하라고는 믿을 수 없는 규모의 잔디밭 위에서, 새의 머리가 달린 네발짐승과 내 몸만 한 개가 서로 뛰어놀고 있었다. 커다란 노란색 고양이는 몸을 말고 나무 위에서 낮잠을 청했다. 은색 빛 가로등에는 촛불처럼 활활 타오르는 새 한 마리가 자리 잡고 앉아 있었다. '조심!'이라 적힌 우리 안에는 정말 어마어마한 규모의 뱀이 꽈리를 튼 채 잠을 자고 있었다.

이뿐만이 아니었다. 이곳에는 동화에서나 볼 법한 동물들이 가득했다. 지하에 들어온 우리를 보고 몇몇 동물들이 뛰어왔다. 난 흠칫 놀라 선배의 등 뒤에 숨었다.

"휭, 휭!!!"

"응, 좋은 점심이야. 많이 배고팠지? 얼른 점심 가져다줄게."

"크릉, 크릉!!"

"아, 이 애 말이야? 새로운 내 친구야. 다치게 하면 안 돼. 알았지?"

내가 듣기에는 짐승의 울음소리일 뿐인데, 선배는 다 알아들을 수 있는 모양이었다. 선배는 동물들에게 두세 마디 말을 남긴 뒤, 나를 데리고 지하의 중앙 쪽으로 데려갔다. 꽃밭으로 둘러싸인 중앙은 맨 중심에 하얀 테이블 하나가 놓여있었다. 예현 선배는 나를 테이블에 앉히고 내 맞은편에 앉았다.

"여기 어때? 대박이지?"

"네…. 놀랍네요…."

난 흥분을 가라앉히지 못하고 주위를 이리저리 둘러보았다. 아까는 신기한 동물들에게 시선을 빼앗겨 보지 못했었는데, 지금 보니 이 장소도 학교 밑이라고는 믿기지 않을 정도로 무시무시한 규모를 자랑했다. 장소의 구조는 원으로, 자세히 살펴보니 꽃밭을 중심으로 총 다섯 구역으로 나누어져 있었다. 한 구역은 상자가 잔뜩 쌓인 창고, 또 한 구역은 동물들이 잠을 자는 곳으로 보이는 우리가 늘어져 있었다. 다른 구역은 동물들이 노는 큰 잔디밭이고, 또 다른 구역은 수많은 나무가 들어선 숲이었다. 우리 학교에 이런 장소가 있었다니.

"여긴 대체 뭐예요…?!"

"하하, 그것부터 물어보는구나? 하긴, 여기에 들어오면 당연히 그 질문이 나오지. 하지만, 여기에 대해 설명하려면 다른 것부터 이야기해야 해."

선배는 두 손을 모으고, 나에게 질문을 던졌다.

"너의 질문에 대한 답은 미루고, 내가 먼저 질문할게. 너는 그 말하는 동물을 어떻게 만나게 된 거야?"

"아…. 어젯밤에 공원에서 만났어요. 이상한 사람들한테 쫓기는 파이를 구해서 경찰서로 데리고 갔죠. 그리고 거기서 석호 아저씨를 만나게 된 거예요."

"그 아이 이름이 '파이'인가 보구나. 음, 아저씨가 널 나한테 보낸 이유를 대충 알겠어. 좋아, 내 질문이 끝났으니 이젠 너 차례야."

나는 잠깐 질문을 뭐로 할지 고민하였다. 묻고 싶은 질문은 산더미인데 시간은 제한되어있다는 게 원망스러웠다. 결국, 나는 제일 근본적인 궁금증을 택했다.

"여기 있는 애들하고, 파이는 대체 정체가 뭐예요?"

내 질문에 선배는 머리를 긁적였다.

"음…. 그건 어디서부터 설명해야 할지 모르겠네…. 워낙 복잡하고 장황한 이야기거든."

"상관없어요. 까짓것 수업 좀 째면 되죠, 뭐."

내 농담이 마음에 들었는지 예현 선배는 빙글 미소를 지었다.

"좋아, 그럼 처음부터 설명해주도록 할게. 지금으로부터 3년 전, 과학계를 떠들썩하게 한 일이 하나 있었어. '지구 범위 지진 사태'. 알아?"

"들어본 것 같기도….."

"규모가 작아서 사람들 사이에서는 금방 잊혔을 수도 있어. 아무튼, 그 지진은 우리나라뿐만이 아니라 전 세계에서 일어났어. 아마 그때 과학계는 아주 난리가 났을 거야. 어느 특정 지역이 아니라 지구 전체가 흔들린 거나 다름없으니까. 전례 없는 엄청난 상황이었던 거지. 그런데 그 사람들한테는 불행하게도 지구에 나타난 이상 현상은 그것뿐만이 아니었어."

선배는 고개를 돌려 잔디밭 쪽으로 눈길을 던졌다. 보고 또 봐도 여전히 익숙해지지 않는 생물들이 이리저리 뛰어다니고 있었다.

"그 지진 이후, 전 세계에서는 본래 보았던 생물들과는 완전히 다른 생명체들이 발견되기 시작했어. 저 녀석들처럼 말이야. 지진과 저 애들이 어떤 관련이 있는지는 아직 아무도 몰라. 저 생물들이 대체 어디서 온 건지도 알 수 없었지. 하지만 정부는 이것만큼은 딱 알았어. 저 신기한 생물체들은 민간인에게 절대 공개해서는 안 된다고."

"왜요? 말하는 동물이나 저기 날아다니는 말 같이 신기한 생물들이 많잖아요. 공개하면 오히려 좋은 거 아니에요?"

순진해 빠진 멍청한 질문에도 선배는 친절히 대해주기로 마음먹은 것 같았다. 그는 눈웃음을 지으며 고개를 저었다.

"아니. 저 아이들은 보통 사람들이 가지는 상식을 넘은 생명체들이야. 공개되면 오히려 위험해. 사람은 낯선 것에 거부감을 느끼기 마련이거든. 만약 공개된다면 저 아이들에게 두려움을 느끼고 공격하려는 사람들이 생길지도 몰라."

"그렇군요….."

"정부와 과학계는 이 사실을 은폐한 채 이 신기한 동물에 관한 연구를 계속했어. 그리고 이 동물들을 전부 '환상의 생물'로 칭했지. 그들은 환상의 생물을 조사하던 중 공통점을 하나 발견했어. 환상의 생물들 대부분이 무언가를 찾는 데에 열정을 쏟고 있었거든."

이 말을 듣자, 문득 어젯밤에 파이한테서 들은 말이 떠올랐다. 파이는 만나고 싶은 사람을 찾기 위해 지구로 왔다고 말했다.

"각 나라는 수도권에 환상 생물 보호부를 설립하고, 전국을 떠도는 환상의 생물들을 찾아 보호했어. 그리고 그 생물들의 목적들을 이뤄주기 위해 노력했지. 목적을 이뤄주면 원래 세계로 돌아갈지도 모른다고 생각한 게 시작이었던 것 같아. 아직 원래 세계로 돌아간 생물들은 없는 것 같지만."

"그런가요….""

나는 입을 다물고 테이블을 멍하니 바라보았다. 그때, 문득 머릿속에서 또 다른 의문이 떠올랐다.

"아, 선배님. 그럼 선배님과 어제 만난 그 사람들은 어떻게 환상의 생물들을 알고 있는 거예요? 그리고 이곳은 대체 뭐고요?"

"아 그거."

선배는 의자에 몸을 기댄 채 앞뒤로 흔들었다.

"우리 아버지께서 생물학자시거든. 연구 차원에서 학교 밑에 이 장소를 지었지. 내가 환상의 생물을 처음 알게 된 건 우리 아버지 때문은 아니야. 나도 너랑 비슷해. 길을 가다가 우연히 날아다니는 말을 발견해 버렸거든. 그 이후 서서히 많은 동물이 모이기 시작하더니 아버지께서 이 지하 건물을 건축하고 저 애들이 여기서 편히 머물 수 있도록 만들었어."

예현 선배네는 대체 얼마나 부자인 걸까. 아무리 유명한 생물학자래도 이 정도 규모의 지하 홀을 짓는 건 정말 놀라웠다.

"그리고 어제 네가 만난 사람들은…. 아마 환상 사냥꾼일 거야."

"환상 사냥꾼이요?"

"응. 정부는 그렇게 불러. 환상의 생물을 완벽하게 은폐하는 건 불가능에 가까운 일이야. 아직 발견하지 못한 환상의 생물들이 땅을 떠돌아다니는 한 일반인들에게 목격되는 건 불가피한 일이지. 이런 일들로 인해 환상의 생물에 관한 걸 아는 사람이 늘어났어. 마치 너처럼.

사람들 대부분은 수용하려고 하지만, 몇몇 사람들은 그러지 못했어. 그들은 자신들을 '사냥꾼'이라 자칭하며 환상의 생물들을 사냥하기 시작했어. 환상 사냥꾼은 수단과 방법을 가리지 않아. 사실 나는 환상의 동물을 여기에 거둔 이후, 언제나 생명의 위협을 받게 됐어. 다행히 아버지가 지켜주시는 덕에 목숨은 부지하지만, 그래도 안심할 수는 없지. 너도 조심하는 게 좋을 거야."

나는 일주일 전 예현 선배를 찾았던 남자들을 떠올렸다. 평소 이상한 사람으로 취급했던 사람들이 사실은 그렇게 무서운 사람들이었다는 것에 살짝 소름이 돋았다.

"…선배는 안 무서워요? 그렇게 목숨이 위험할 수도 있는데?"

"물론 무섭지…. 하지만 난 애들을 그냥 내버려 둘 수도 없어. 이 애들은 날 찾아온 아이들인걸. 극진히 대접해줘야지."

참 별난 사람이다. 다른 세상의 종도 예의 바르게 대해야 할 손님으로 취급하다니.

예현 선배가 좋은 사람이라는 것은 알겠지만, 이 이상 그를 이해하려고 하면 안 될 것 같았기에, 본론으로 들어가기로 했다.

"선배님은 혹시 이석호 아저씨께서 저보고 선배님을 찾아가라 했던 이유를 아시나요? 저는 아저씨께 들은 게 별로 없거든요…."

"응. 척 보면 알아. 그 아저씨 백 퍼센트 나한테 오면 다 해결될 거라 했겠지."

"오, 정확히 아셨네요."

"난 그 아저씨랑 꽤 인연이 많거든. 석호 아저씨가 환상 생물 보호 본부에서 여기로 위장 파견 왔을 때부터…."

왠지 들으면 안 될 말을 들은 것 같아 모르는 척하기로 했다.

"학교 끝나면 파이를 데리고 여기로 와줄래? 여기는 공간이 꽉 차서 오래 지낼 수는 없지만, 그래도 먹이가 많으니 본부에서 차가 올 때까지는 건강하게 있을 수 있을 거야. 환상 생물 보호 본부에서는 달마다 차를 파견해 각 지역에서 발견된 동물들을 본부로 데려가거든."

"네, 알겠습니다. 저기 근데…."

"응?"

파이를 이곳에 맡기기에는 신경 쓰이는 것이 아직 남아있었다.

"파이가 저번에 경찰서에다 맡겼더니 탈출해서 우리 집으로 왔거든요…. 쫓아내려고 했지만, 찰거머리처럼 붙어서 떨어지지를 않았어요. 혹시 여기에서도 탈출하면 어떡하죠?"

"…그렇구나. 파이란 애가 널 참 좋아하나 보네. 은인이라서 그런가? 아무튼, 그런 문제면 해결하기 간단하지."

"정말요?!"

방금까지의 험담은 취소한다. 예현 선배는 별나지 않고 참으로 현명하고 착하신 분이다. 나는 두 손을 모으고 선배를 쳐다보았다. 이에 선배는 상큼한 웃음을 지으며 답했다.

"본부에서 차량이 오기 전까지, 네가 파이를 만나러 여기 자주 오면 돼! 파이는 네가 오기를 기다리기만 하면 되고, 너는 한 일주일 정도만 참으면 이 문제에서 벗어날 수 있고. 어때? 괜찮은 해결책이지?"

"……"

역시 예현 선배는 괴짜가 맞는 것 같다.

7

사냥꾼

생물 동아리에 자주 들러달라길래 혹시라도 동아리 활동을 억지로 시키려는 게 아닐까 걱정했는데, 다행히 선배에겐 그런 의도는 없었나 보다. 종례를 마친 뒤 방과 후 시간마다 난 주기적으로 생물 동아리실에 방문했다. 문을 열면 매번 파이가 뛰쳐나와 날 덮쳤다. 그리고 나는 파이와 놀아주면서 시간을 보냈다. 요즘 동아리실에 자주 가면서 느낀 건 예현 선배가 정말 초인이라는 것이다. 그는 다른 사람에게 맡기지 않고 혼자서 동아리의 모든 일을 처리했다. 수많은 동물을 씻겨주고, 똥을 치우고, 먹이를 준 뒤, 책상에 앉아 과제를 했다. 그 모습을 계속 보다 보면 나도 모르게 죄책감이 들었다. 결국, 3일째가 되어서야 나는 선배에게 다가가 내가 할 일이 없는지 물었다.

"응, 괜찮아. 편하게 있어. 혼자서도 충분히 할 수 있어."

"아니, 가만히 있으니까 오히려 불편해요. 뭐라도 시켜주세요."

"그래…? 그럼 음….”

선배는 잠시 침묵하다가 입을 열었다,

"아, 그럼 나 대신 애들에게 먹이를 줄 수 있을까? 각자 먹는 먹이가 달라서 좀 복잡할 수도 있어. 종이에 적어줄 테니까 그거에 따라서 먹이를 줘."

"넵. 알겠습니다."

예현 선배가 건넨 종이를 받고 나는 동물 우리로 걸어갔다. 영화에서나 볼 법한 동물들이 나를 빤히 바라보는 광경은 견디기가 어려웠다. 난 최대한 시선을 종이와 먹이 상자에만 집중하려 애썼다.

"어디 보자…. 페가수스는 a, 아팡크는 c…. 그리고 앗 뜨거!!!"

불새가 있는 우리로 가까이 다가갔을 때, 갑자기 녀석이 날개를 확 펼치는 바람에 불똥이 내게로 튀었다. 내가 놀란 모습이 웃겼는지 우리 안의 동물들이 킬킬거렸다. 빈정이 상했지만 애써 표정을 갈무리하고 나머지 동물들에게 먹이를 던졌다. 마지막으로 '체셔 고양이'란 이름이 적힌 우리에다 꽃을 잘게 다진 떡을 던지는데, 우리 쪽에서 신경질적인 소리가 났다.

"으갸아악! 난 꽃을 제일 싫어한다고! 눈이 있는 거야, 없는 거야?!"

몸을 움찔거리며 우리 안으로 시선을 돌리니, 내 몸의 반은 되어 보이는 노란색 고양이가 초록색 눈을 번뜩이고 있었다.

"뭐야. 너도 말하는 동물이었어?"

"뭘 새삼 묻고 그래? 나도 네 애완동물처럼 '스피커'야. 네 거보다 훨씬 더 유능한. 그것보다, 먹이를 잘못 줬으면 사과부터 해야 하는 거 아냐?"

맞는 말이었다. 딱히 반박할 거리도 없었다. 하는 수 없이 나는 곧바로 고개를 숙였다.

"미안. 리스트를 잘못 봤네. 올바른 거로 다시 갖다 줄게."

"음…. 됐어. 사실 난 꽃 좋아하거든."

뭐지 이놈.

고개를 올리니 체셔 고양이의 눈이 반달 모양으로 휘어지는 게 보였다. 기분 나쁜 놈이다. 저 초록색 눈에는 모든 것을 꿰뚫어 보는 힘이 있는 것만 같다. 나는 몸을 돌리고 중앙 쪽으로 발걸음을 재촉했다.

"선배. 먹이 다 줬어요."

"그래? 정말 고마워. 원래는 내가 해야 할 일이었는데. 니한테 떠맡겨 버렸네."

아까 괴상한 고양이를 보고 나니 선배가 정말 천사처럼 느껴졌다.

"아니에요. 여기 방문하는 동안 필요한 게 있다면 제게 말씀해 주세요."

"응, 고마워. 잠깐 쉬고 있어. 6시 30분쯤에 나갈 거니까 그때까지 기다려 줘."

"네. 알겠습니다."

난 한결 편한 마음으로 대답하고 테이블에 앉아 한숨을 돌렸다. 이제 맘 편히 휴식을 즐길 수 있겠다고 생각하자마자, 어디선가 하얀 생물체가 튀어나와 내 머리를 가격했다.

"소망아! 놀자피!!"

파이는 여느 때처럼 밝은 얼굴로 내 앞에서 방방 뛰었다. 얘는 뭐가 그리 행복한 걸까. 왜 항상 내게로 달려드는 걸까. 의문투성이지만 잠깐 가슴 속에 묻어두기로 하였다. 어차피 파이와 난 곧 헤어지게 될 거니까.

"그래. 같이 놀자."

"야호!!!"

난 자리에서 일어나 잔디밭으로 뛰어가는 파이를 따라갔다.

"으윽…. 삭신이 쑤셔요…."

파이와 30분 동안 놀아준 것뿐인데 온몸이 뻐근했다. 다리가 후들거려서 걷기조차 힘들었다.

"하하…. 스피커는 5살 인간 아이의 체력을 지녔다고 하니까…. 피곤할 수밖에 없지."

"하아…. 그냥 선배에게 더 도움 주는 게 나았을지도."

"네가 파이랑 있어 주는 것만으로도 내겐 큰 도움이야."

선배는 상냥한 말과 함께 사람 좋은 미소를 지었다. 매번 생각하는 거지만 예현 선배는 정말 좋은 사람이다. 나와 선배는 숲에서 빠져나와 학교 운동장 쪽으로 걸어갔다. 해는 이미 학교 건물 뒤편으로 사라진 지 오래였다. 해가 미처 가져가지 못한 빛의 잔상만이 어두운 하늘을 맴돌고 있을 뿐이었다.

"오늘 수고 많았어. 먹이 주는 데 애들이 막 괴롭히진 않았지?"

"큰 문제는 없었어요. 다만⋯."

머릿속에서 체셔 고양이가 떠올랐지만, 말하지 않기로 했다. 일단 나한텐 어떻든 선배가 소중히 여기는 동물인데 함부로 험담하고 싶지는 않았다.

"여! 예현 도련님, 그리고 소망 학생!"

그때, 저 멀리서 익숙한 목소리가 들려왔다. 교문 앞에 석호 아저씨가 손을 흔들며 우리를 반갑게 맞아주고 있었다.

"석호 아저씨?"

"아저씨가 여긴 웬일이세요?"

예현 선배의 물음에 아저씨는 머리를 긁적였다.

"그게, 오늘, 네 기사님이 건강이 아프시다고 하더라. 그래서 네 아버지께서 내가 대신 널 데리고 오라고 하셨지."

"그래요? 기사님은 많이 아프시대요?"

"그렇게 아픈 건 아니란다. 걱정하지 마셔."

아저씨는 선배의 머리를 가볍게 두드리곤 날 돌아보았다.

"소망 학생, 학생도 같이 타고 갈래? 집이 가깝다고는 하지만 그래도 차 타고 가면 좋잖아."

"저야 감사하죠! 그럼 신세 좀 지겠습니다."

나와 선배는 아저씨의 차에 타고 집으로 향하였다.

다음날, 나는 마을 도서관으로 향했다. 약속대로라면 학교로 가야 했지만, 그 전에 읽고 싶은 책이 하나 있었다. 시원한 에어컨 바람을 맞으며 책을 찾던 도중, 문득 책장 너머에 있는 한 남자가 보였다. 그 남자는 검은 후드를 쓴 채 마스크로 얼굴을 가리고 있었다. 자기 딴에는 남의 눈에 띄지 않으려 했겠지만, 오히려 그 모습은 조용한 도서관에서 더욱 돋보일 수밖에 없었다.

'별난 사람이네. 그래도 예현 선배보다는 눈에 덜 띄는 것 같기도.'

그렇게 생각하며 목적인 책을 챙기고 1층으로 내려갔다. 주말이라 그런지 대출 반납대에는 사람이 좀 몰려 있었다. 난 맨 뒤에 줄을 서고 차례를 기다렸다. 느려도 상관없긴 하지만, 파이가 기다릴 수도 있으니 최대한 빨리 끝났으면 했다. 그때, 뒤에 누군가가 가까이 붙는 게 느껴졌다. 깜짝 놀라 뒤를 돌아보려는데, 귓가에 작은 속삭임이 닿았다.

"행동 조심해. 볼일이 다 끝나면 도서관 뒷문으로 나와."

아. 망했다.

그 순간 언젠가 예현 선배가 했던 말이 떠올랐다.

"환상의 동물을 도와주게 된 이후, 난 언제나 생명의 위협을 받고 있어. 다행히 아버지가 지켜주시는 덕에 목숨은 부지하지만, 그래도 안심할 수는 없지. 너도 조심하는 게 좋을 거야. 환상 사냥꾼들은 언제 어디서든 수단과 방법을 가리지 않거든."

이 말이 떠오르는 건 지금 이 상황이 딱 부합하기 때문일 것이다. 심장이 미칠 듯이 요동치고, 다리가 부들거렸다. 각오는 했지만, 막상 닥치니 두려움에 몸을 가누기 힘들었다. 내가 무서워하는 걸 눈치챘는지, 그 남자는 한결 나긋한 목소리로 말했다.

"걱정 마. 널 해치진 않을 거야. 약속할게. 대신, 나오지 않거나 다른 사람한테 도움을 요청하면, 내가 좀 화날지도 모르겠네."

공포스럽기 짝이 없는 말을 남긴 뒤, 그는 도서관을 나갔다.

긴장감에 주저앉을 뻔한 걸 겨우 참았다. 마음을 가다듬은 뒤, 일단 해야 할 일을 처리하기로 했다.

뒷문으로 나오자, 아까 본 검은 후드의 남성이 내게 손을 흔들었다. 마스크는 벗고 있었다. 그의 얼굴은 뭔가 익숙한 구석이 있었다. 친숙한 얼굴은 아니었지만, 그렇다고 아예 처음 보는 얼굴도 아니었다.

난 그가 우리 학교 앞에 서 있던 사람 중 한 명이었다는 사실을 깨달았다. 남자는 자기 나름대로 친근한 미소를 지으며 말했다.

"기다렸어. 우리 언제 만난 적 있지?"

"글쎄요? 죄송하지만 전 처음 보는 것 같아요."

괜히 꼬투리 잡힐까 봐 시치미를 뗐다. 하지만 그 판단은 옳지 않았던 모양이다. 그의 눈이 초승달 모양으로 휘었다.

"어디서 시치미야, 이 계집애가. 너 그날 밤 공원에서 하얀 새끼 갖고 튀었잖아. 이래도 거짓말할 거야?"

그의 위협적인 말로 인해 한층 더 절망이 깊어졌다. 이 남자는 내가 파이를 처음 만난 날, 파이를 쫓던 이 중 하나였다. 더 이상 발을 빼기엔 무리였다.

"…원하는 게 뭔데요?"

"그래, 이렇게 순순히 나오니 얼마나 좋아. 미리 말하는 거지만, 난 너한테 아무런 감정 없어. 내 사냥감을 갖고 튄 건 좀 짜증 나긴 하지만…. 처음이니 봐줄게. 내가 부탁할 건 딱 하나야."

남자가 무릎을 굽히고 내게로 몸을 숙였다. 가까이서 보니 그의 미소가 더욱 무섭게 느껴졌다.

"남예현, 그 새끼가 매번 숨는 장소를 말해줘. 그놈은 우리 쪽에서 정말 특별한 대우를 해줘야 할 인간이거든. 그놈이 어디다 환상의 동물들을 빼돌리는지, 그것만 말해. 모른다고 해도 소용없어. 우린 다 봤거든. 너희가 붙어 다니는걸."

한치의 예상도 빗나가지 않은 말이었다. 그들이 환상의 동물들을 사냥하는 한, 예현 선배의 비밀기지는 보물이 있는 던전과 다를 바가 없을 것이다. 물론 난 장소를 불 생각은 쥐뿔도 없었다. 사람을 협박하고, 애꿎은 동물들을 사냥하는 악인들에게 도움이 될 의향은 없다. 지금 가장 큰 문제는 나 혼자서 이 상황을 빠져나갈 길이 보이지 않는다는 것이었다. 바로 앞에서 도망쳐봤자, 곧바로 붙잡힐 게 뻔했다. 최악의 상황은 이 사람들에게 납치라도 당하는 것이다. 그때, 문득 이 도서관에는 청소부가 있다는 게 떠올랐다. 오전과 오후, 총 두 번을 왔다 가시는 청소부 아주머니는 12시 30분쯤에 청소를 마치고 도서관을 나왔다. 난 손목시계를 내려다보았다. 지금 시간은 12시 20분. 시간이 되면 아주머니께서 뒷문으로 나오실 테니, 그 틈에 도망칠 수 있을 것이다. 그때까지 최대한 시간을 벌어야 한다.

"저기, 궁금한 게 있는데요."

"뭐?"

"당신들은 어째서 환상의 동물을 사냥하시는 거죠?"

내 질문에 남자는 미간을 찌푸렸다.

"지금 시간 벌려고 그딴 질문을 하는 거냐? 넌 알 이유 없잖아. 그냥 빨리 장소를 불기나 해."

"당신들 진심을 알려고요."

"뭐라고?"

"전 아직 당신들이 무슨 생각을 하는지 잘 몰라요. 그러니까 솔직히 말해서 신뢰할 수도 없죠. 누가 신뢰하지 않는 대상에게 진실을 말하겠어요? 제가 거짓으로 정보를 불면 어쩌려고 그래요? 바보 같이 애먼 땅에다 삽질하게 될 수도 있는 거예요. 그러니까 저한테 진심을 말해주세요. 그러면 남예현이 숨어 있는 곳이랑 그 사람 비밀기지를 전부 말해줄 수 있어요."

애초에 말할 생각은 없지만.

"참…. 누가 남예현이랑 어울리는 애 아닐까 봐 말은 번지르르하게 잘하네. 그래도 뭐 네 말은 일리가 있으니 대답은 해줄게.”

다행히 설득된 모양이다. 나는 속으로 안도했다.

남자는 팔짱을 끼고 제 이야기를 술술 풀어주기 시작했다.

“다른 놈들은 어떤지 모르겠지만 말이야. 난 환상의 동물인지 뭔지 하는 놈들한테 큰 관심은 없어. 굳이 말하자면 그냥 조금 불쾌한 정도.”

“불쾌하다고요?”

“맞잖아. 애초에 지구 생물도 아닌 놈들인걸. 그런 놈들하고 같이 지내봤자 어떻게 서로를 이해할 수 있겠냐고. 이해 못 하고 갈등만 일어날 바에야 아예 한쪽에서 짓눌러 버리는 편이 낫지.”

이 말을 듣고 나는 나 자신도 모르게 파이를 떠올려 버렸다. ‘이해할 수 없다.’ 이는 내가 파이와 함께 있을 때 가장 많이 했던 생각이 아니던가. 남자는 이제 나는 신경도 쓰지 않고 자기 말을 늘어놓았다.

“환상의 동물들을 잡아서 뒷세계에 팔면 얼마나 돈이 많이 나오는지 넌 모를 거야. 아주 최고의 직장이라니까. 돈도 많이 주고, 스트레스도 맘대로 풀 수 있고, 생물을 죽이는 데도 죄책감 하나 안 들고. 얼마나 좋아.”

순간 내 가슴 속에서 무언가 꿈틀거렸다. 남자의 말 중에 심하게 거슬리는 단어가 하나 있었기 때문이었다.

‘죄책감’.

타자를 온전히 이해할 수는 없다. 하지만 나와는 별개의 생물이래도, 그 생명이 나에 의해 상처를 입는다면, 그것을 슬퍼하는 건 당연한 일이다. 하지만 이 사람에게는 그런 일반적인 감정조차 존재하지 않았다. 이런 인간만도 못한 놈을 굳이 시간 끌며 상대할 필요가 있을까?

“역시 전 도저히 이해 못 하겠어요.”

“…뭐?”

생각이 바뀌었다. 아주머니를 기다리지 않고, 나 스스로 여기를 빠져나가기로.

나는 당황한 남자의 얼굴에다 냅다 책을 집어 던졌다. 갑작스레 공격받은 그는 뒤로 나자빠졌다.

난 곧바로 거리를 향해 전력 질주했다. 그 사람이 쫓아오는지 신경쓸 틈이 없었다. 나는 온 힘을 다해 뛰었고, 내가 발걸음을 멈춘 곳은 지난번과 같이 경찰서였다.

8

이별

석호 아저씨의 전화가 끝나고 몇 분 뒤, 예현 선배가 도착했다. 선배는 내 얼굴을 보자 안심한 듯 숨을 푹 내쉬었다.

"정말 미안해…. 소망아. 나 때문에 네가 그런 일에 휘말리고….'

"에이, 괜찮아요. 제 선택인걸요."

"그래도…."

"이번 일은 선배 잘못이 아니에요. 그러니까 자책하지 마세요."

이번에 일어난 일은 정말 선배 탓이 아니었다. 그 남자와의 인연은 내가 파이를 구한 것으로 시작되었다. 그러니 어찌 보면 근본적인 책임은 나한테 있다고 할 수 있었다. 석호 아저씨는 심각한 얼굴로 날 바라보았다.

"아무튼, 이번 건 정말 위험했어. 사냥꾼이 그렇게 직접적으로 모습을 드러낼 줄이야. 상상도 하지 못했는데."

"그 사람은 잡았나요?"

선배의 물음에 아저씨는 고개를 천천히 저었다.

[A5]하루의 잔상_개문동.hwp

"조사해 보라고 사람을 보내긴 했지만, 아직 유의미한 성과는 나오지 않았어. 그래도 CCTV를 확인하면 신원 정도는 파악할 수 있을 거야."

아저씨의 말을 듣자니 새삼 내가 지금 어떤 상황에 휘말려 있는지 생생히 느낄 수 있었다. 지금 내 인생의 궤도는 보통 사람과 많이 달라져 있었다. 몇 분간 책상 위로 세 사람의 침묵이 맴돌았다. 먼저 입을 연 건 석호 아저씨였다.

"아무래도, 난 소망 학생이 이 일에서 빠지면 좋겠다."

"네?"

나도 모르게 되묻고 말았다. 내심 바라던 상황이었는데도, 이렇게 갑작스럽게 나오는 건 예상 밖이었다.

"파이를 데려갈 본부 차가 오기엔 아직 2일 정도 남았고. 그 사이에 또 그놈들이 소망 학생을 노릴 수 있어. 그러니까 소망 학생. 앞으론 나와 예현과는 거리를 두도록 해. 물론 파이와도."

너무 단호하고 깔끔한 말이라 뭐라 대꾸할 수도 없었다. 아저씨가 이 말을 한 게 날 걱정하는 마음에 나온 것이란 걸 알았기에 더더욱.

예현 선배도 고개를 끄덕였다.

"그래. 앞으로는 거리를 두는 게 좋겠어. 내 생각엔 전에 우리가 학교 밖에서 같이 있던 게 원인이라고 봐. 그러니까 밖에서는 더 이상 보지 않는 게 좋을 것 같아."

난 아무 말 없이 고개를 숙였다. 겨우 며칠 동안의 인연이라지만, 그 새 정이 붙은 모양이다. 둘이 나와 거리를 두려는 게 이렇게 서운히 다가올지 몰랐다. 내 마음을 알아챘는지 예현 선배는 미소를 지었다.

"너무 서운해하지 마. 학교 내에는 감시자가 없으니까, 그 안에서는 친하게 지낼 수 있어. 본부 차가 온 후엔 동아리실에 놀러 와도 좋아."

정말 좋은 사람이다. 예현 선배의 친절에 감동하며 난 웃음을 지었다.

"네, 감사합니다."

석호 아저씨가 잠시 입을 다물다가 뭔가 떠오른 듯 작게 탄성 소리를 냈다.

"아, 소망 학생. 마지막으로 파이와 작별 인사를 하도록 해. 짧은 기간이긴 하지만, 인사는 하는 게 좋잖아."

이 말에 난 잠깐 생각에 잠겼다.

'작별 인사'라. 해피가 떠날 때, 나는 해피에게 인사를 하지 못했었다. 오랜 시간 함께 보낸 내 인연은 그렇게 흐지부지 끝나버렸다.

파이와는 깊게 인연을 쌓지는 못했지만, 그래도 그간 함께 보냈으니 작별 인사를 남기는 편이 아무 말 없이 헤어지는 것보다 더 나을 거다. 이번엔 제대로 된 끝을 내야지.

"네, 알았어요."

동아리실 문을 열자, 예상대로 파이가 내게 뛰어왔다. 파이는 펄쩍 뛰어 내 얼굴에 찰싹 붙었다.

"소망아! 정말 보고 싶었다피! 왜 이렇게 늦었냐피?! 어서 같이 놀자피!"

"으응…. 파이…. 일단 내려와 줄래?"

난 파이를 떼어내 테이블 위에 올렸다. 파이의 두 꼬리가 살랑살랑 흔들렸다. 파이는 언제나 그랬듯 반짝거리는 눈으로 날 쳐다보았다. 저 눈에서 나는 단 한 번도 거짓을 읽은 적이 없었다. 나는 파이의 머리를 부드럽게 쓰다듬었다. 보드라운 털이 손가락 사이로 튀어나왔다가 스르륵 미끄러져 내려갔다.

"소망아! 오늘은 뭘 하고 놀까피? 숨바꼭질? 술래잡기? 난 뭐든지 좋다피!"

"파이…."

오늘따라 파이의 순수한 말투가 가슴 아프게 느껴졌다. 분명 오늘이 파이와의 마지막이란 걸 알고 있기 때문일 것이다. 난 미소를 지으며 파이를 바라보았다. 파이의 눈에 비친 두 눈이 슬픔을 띠고 있었다. 그동안 귀찮게 여겼지만, 무의식적으로 파이에게 정을 가졌나 보다.

"파이, 난 오늘 너한테 작별 인사를 하러 온 거야."

그 순간, 파이의 두 눈에 빛이 사라졌다. 작은 몸이 사시나무 떠는 듯 덜덜 떨리기 시작했다.

"왜…. 왜냐피?"

"더 이상 너랑 함께 있을 수 없게 됐어. 다 내 탓이야. 미안해. 그동안 함께 지내면서 정말 즐거웠어. 넌 좀 귀찮긴 했지만…. 그래도 지루하진 않았던 것 같아. 내 생활을 재밌게 만들어줘서 고마워. 앞으로 잘 지내. 그리고…."

난 파이에게 진심을 담은 말을 전했다.

"꼭 네가 만나고 싶은 사람을 찾길 바랄게."

이 말을 남기고 곧바로 떠나려 했다. 그러나 바짓가랑이를 붙잡는 파이 때문에 갈 수가 없었다. 파이의 커다란 눈에서 눈물이 폭포수처럼 쏟아지고 있었다. 그 눈이 내 얼굴을 온전히 담자, 눈물의 세기는 더욱 거세졌다.

"가지 마라피…. 가지 마라피…. 소망아…."

아, 이 아이는 대체 왜…. 나를 이렇게 붙잡으려는 걸까.

"파이…."

"제발…. 날 두고 가지 마라피…. 부탁이다피…. 넌 날 버리지 마라피…."

파이의 처절한 모습은 내 죄책감을 불러일으켰다. 난 내 손으로 파이에게 상처를 남기고 있었다.

나와의 이별이 너한테 아픔이 되는 이유가 뭐야? 넌 날 왜 이렇게 좋아하는 거야? 나는 너를 이해해준 적이 없잖아. 너도 날 이해해준 적이 없잖아. 이해 없이 이런 사랑을 갖는 이유가 도대체 뭐야?

의문을 품으면서도 입 밖으로 내뱉지 않았다. 물으면 파이를 이해하게 될까 봐. 나는 파이를 놔두고 밖으로 나갔다. 이번엔 똑바로 작별 인사를 했지만, 지난번과 마찬가지로 완벽하지는 않았다.

　그날 이후, 엄마랑 아빠가 출장에서 돌아왔다.

　솔직히 말해서 부모님껜 죄송하지만, 그동안 난 엄마랑 아빠가 집에 없는 걸 의식하지 않고 살았다. 일주일간 일어난 기상천외한 일들 때문이었다. 털어놓고 싶은 마음이 굴뚝같았지만, 약속 때문에 참기로 했다. 이렇게 내 틀어진 인생의 궤도는 원래대로 돌아오는 것 같았다.

　그러나 다음 날 저녁, 걸려 온 전화로 내 생각이 틀렸음을 깨달았다.

??????
재회

심장이 아픕니다.
가시에 찔린 것처럼 따갑습니다.
이런 고통은 익숙합니다.
당신을 잃은 후부터 이 고통은 계속 나를 따라왔으니까요.

하지만 이번에는 더 아픕니다.
왜 이런지 이유는 잘 모릅니다.
분명 '똑같은' 이별인데.
지난번과 다를 바가 없는 이별인데.
답을 찾기가 어렵습니다.

만약 '당신'이 내 곁에 있어 준다면,
이런 궁금증은 바로 해결할 수 있을 텐데.
왜 나를 떠난 건가요.
왜 나를 버린 건가요.

저는 사람이 싫습니다.
제멋대로 찾아와서, 제멋대로 이별을 고하는 것들.

그들에게 이해를 바란 적은 단 한 번도 없습니다.

그런 이기적인 종들에게 이해를 바라봤자 시간 낭비라고 생각합니다.

제 고통을 이해해주지 않아도 됩니다.

제 상처를 안아주지 않아도 됩니다.
제 어리광을 존중해주지 않아도 됩니다.

전 그저 혼자만 아니면 충분합니다.

"파이, 괜찮아?"

누군가가 묻습니다.
고개를 들지만, 시야가 흐려 누군지 잘 안 보입니다.
하지만 '당신'이 아닌 것만은 잘 알고 있습니다.

저는 입을 다물고 머리를 팔에 파묻습니다.

누군가가 한숨을 내쉽니다.

"그래…. 너도 많이 힘들겠지."

이해하려고 하는 건가요. 하지만 저 사람도 날 이해하지 못한다는
건 압니다.

"푹 쉬고 있어. 좀 이따 저녁 가져다줄게."

누군가가 떠납니다.

머리를 들고 주위를 살핍니다.
모든 게 까매서 한 치 앞도 보이지 않습니다.

그때, 새하얀 빛이 시야를 훤히 비춥니다.

겨울날 이불처럼 따뜻한 빛.

난 저 빛을 언젠가 본 적이 있습니다.

가시가 심장을 찌를 때, 저 빛이 나타나 날 이끌었습니다.

그리고 '당신'을 만났습니다.

나는 빛을 향해 걷습니다.
저 빛을 따라가면 '당신'을 다시 만날 수 있을 테니.

빛은 끝없이 이어집니다.
주변의 소리와 사물은 나의 세계에서 사라진 지 오랩니다.
남은 것은 따뜻한 빛뿐.

조금만 기다려.
조금만 기다려.
조금만….

소망을 마음으로 되새기는데, 눈앞에 있던 빛이 사라졌습니다.
세상은 이제 완전한 밤이 되었습니다.

심장이 아픕니다.
가시에 찔린 것처럼 따갑습니다.
이런 고통은 익숙합니다.
당신을 잃은 후부터 이 고통은 계속 나를 따라왔으니까요.

하지만 익숙하지 않은 고통이 하나 있습니다.

그 고통은 심장만을 압박하지 않습니다.
팔, 다리, 머리 모든 곳이 아픕니다.
몸이 아픕니다.
가시에 찔린 것처럼 따갑습니다.

[A5]하루의 잔상_개문동.hwp

9

갈등

석호 아저씨의 전화를 받고, 나는 곧장 병원으로 뛰어갔다.
로비로 들어오자, 접수원이 날 알아보고 어떤 방으로 안내했다.

정육면체의 방이었다. 그리고 방의 중앙엔 하얀 생물이 가지런히 누워있었다. 미리 와 있었던 석호 아저씨와 예현 선배가 내게로 다가왔다. 선배가 어쩔 줄 몰라 눈물을 흘리는 사이, 아저씨는 덤덤히 오늘 있었던 일을 설명했다. 오늘 저녁, 예현 선배가 동물들 먹이를 관리하러 간 사이, 파이가 동아리실을 탈출했다. 뒤늦게 이를 깨달은 선배는 밖으로 나와 파이를 찾았다. 하지만 학교 근처에서는 파이를 발견할 수 없었고, 결국 선배는 석호 아저씨에게 가 사실을 알렸다. 아저씨는 마을 곳곳을 수사했다고 한다. 그리고 우연히 사거리 쪽에서 동물 한 마리가 차에 치었다는 소식을 듣게 되었다. 황급히 가보니 그 동물은 다름 아닌 파이였고, 급하게 동물 병원으로 실려 왔다는 것이었다.

다행히 운전사가 대처한 덕에 파이의 목숨에 지장은 없었다. 하지만 꽤 큰 중상을 입어 특별과에서도 치료하기가 힘들다고 한다. 그래서 내일, 환상생물 보호부의 본부에서 곧바로 차를 보내 파이를 데려간다고 했다.

"그나마 불행 중 다행이야. 만약 파이를 먼저 발견한 게 환상 사냥꾼이었다면….."

아저씨의 말은 예현 선배로 인해 가로막혔다. 선배는 내게 다가와 조용히 말했다.

"정말 미안해. 파이를 보호하겠다고 했는데……. 보호가 너무 소홀했어. 파이가 다친 건 다 내 탓이야……."

난 선배를 향해 고개를 저었다.

"아니에요. 제게 사과하지 마세요. 선배."

"그치만….."

"전 파이와 아무 사이도 아니니까요,"

그래. 아무 사이도 아니었다. 하지만 난 파이가 뛰쳐나온 이유를 잘 알고 있었다. 그때, 파이가 눈을 떴다.

"…파이….."

"파이!"

선배가 파이에게 달려가 몸을 살폈다.

"파이! 괜찮아?"

파이는 눈을 깜빡이다 시선을 내게로 옮겼다. 흐린 눈에 빛이 돌아오기 시작했다.

"소망아….."

여느 때처럼 파이는 날 보고 미소 지었다. 사고를 당했음에도, 달라지지 않았다. 파이는 여전히 날 반긴다. 그 태도가 내 안의 무언가를 툭 끊어냈다.

"너 바보야?!!!"

갑작스러운 외침에 파이도, 예현 선배도, 아저씨도, 그리고 나도 놀랐다. 나는 주체할 새도 없이 속사포로 분노를 마구 쏟아 냈다.

"어쩌자고 밖으로 뛰쳐나온 거야?! 이 정도로 다친 걸로 다행이지. 만약 저번처럼 사냥꾼에게 쫓기면 어쩌려고 그랬어?!!! 진짜 죽고 싶은 거야?!"

"소망아…. 네 마음 이해하지만 일단 진정해…."

선배의 말림에도 나는 파이한테 계속 소리쳤다.

"죽고 싶지 않다며!!! 살고 싶다며!!! 그럼 죽을 짓 좀 작작해!!! 너 때문에 얼마나 많은 사람이 고생하는지 몰라?! 대체 왜 그러는 거야…. 대체 왜!!!"

파이의 눈에서 눈물이 흘러내렸다. 파이는 자그맣게 중얼거렸다.

"난 그저…. 소망이랑 같이 있고 싶었다피…."

"그놈의 같이!!! 애초에 너랑 난 아무것도 아니잖아. 안 그래?! 너 뭔가 착각하고 있는 것 같은데, 우리는 아무런 사이도 아냐. 그냥 짧게 만나고 금방 헤어질 사이라고. 만약 네가 날 진심으로 좋아했다면, 진심으로 친구라 생각했다면, 이딴 짓은 하지도 않았겠지!!! 날 좋아하면 제발 나를 내버려 둬. 너 때문에 내가 죽을 수도 있다고!!"

그 순간, 내 어깨에 손이 올려졌다. 석호 아저씨였다.

아저씨는 어두운 얼굴로 고개를 저었다.

"이제 그만해."

난 헉헉대며 아저씨를 바라보았다. 아저씨의 눈을 보자 잠시 나가 있었던 정신이 돌아왔다. 두 손으로 얼굴을 감싼 채 내 앞의 하얀 생물을 내려다보았다. 그것은 어째서인지 상처받은 얼굴로 나를 쳐다보고 있었다.

그 눈이 너무나도 슬퍼 보여서
그 눈이 내게 아픔이 될 것 같아서
나는 방을 뛰쳐나갔다.

??????
마지막 당신

눈을 감으면, 가끔가다 그날 밤이 떠오르곤 합니다.

당신과의 마지막 기억.

폭격으로 무너진 건물 속에서, 당신은 유일하게 살아남은 생명이었습니다.

제가 발견했을 땐, 그 생명도 꺼지기 직전이었지만요.

저는 필사적으로 잔해에 깔린 당신을 구하려 했습니다. 하지만 저주 같은 짧은 팔다리로는 결코 당신을 구출해낼 수 없었습니다.

눈을 뜬 당신은 제게 말했습니다.

"너라도 도망쳐…. 빨리."

전 고개를 저었습니다.

"내가 널 어떻게 두고 가냐피…. 싫다피…."

"곧 있으면…. 부대가 여기까지 올 거야…. 나랑 같이 있는 모습을 들키면 너도 죽어…! 그러니까 얼른 도망가…. 나는 신경 쓰지 말고…. 어서."

"싫어, 싫어피!!!"

눈물을 흘리는 저를 당신은 부드럽게 쓰다듬어 주었습니다. 저는 그것이 작별 인사임을 알 수 있었습니다.

"난 괜찮을 거야. 곧 갈게. 그러니까 꼭 다시 만나자."

저는 결국 그 건물을 빠져나왔습니다. 당신과 쭉 함께했던 그 집에서.

마지막으로 나오기 전, 저는 당신의 얼굴을 보았습니다.

힘겹게 올리는 입꼬리에는 그동안의 추억이 담겨 있었습니다. 당신은 목소리 없이, 입의 움직임으로만 제게 감사를 전했습니다.

[A5]하루의 잔상_개문동.hwp

"내 행복이 되어줘서 고마워."

그것이 당신의 마지막이었습니다.

10

이해

"이소망~ 이소망~!"

엄마의 부름에 잠에서 깨어났다.

눈을 뜨니 창밖은 흐릿했다. 시계를 보고 나서야 지금이 학교 갈 시간임을 알았다. 그런데 어째서인지 급박한 마음이 들지 않았다. 그냥 조금만 더 자고 싶었다. 엄마는 못마땅한 얼굴로 내 어깨를 흔들었다.

"어제 어딜 다녀왔길래 얼굴이 퉁퉁 부은 거야?"

"…엄마…. 일은?"

"오늘은 쉬는 날이야. 엄마도 가끔은 쉬는 날이 있어야지."

그렇게 말하는 엄마의 얼굴은 평소보다 한층 편안해 보였다.

정말 부럽기 짝이 없었다.

"그나저나 너 학교 안 갈 거야? 어디 아파? 일단 선생님께는 생리지각이라고 말씀드렸어. 너무 아프면 그냥 집에서 쉬어."

"아냐…. 됐어…. 갈게."

느릿느릿 일어나 가방을 쌌다. 손에 힘이 없어 물건을 잘 담을 수가 없었다.

"정말 괜찮은 거 맞아?"

"응."

"…정말? 소망이 너 지금 많이 아파 보이는데…."

"괜찮다고 했잖아!!!"

나도 모르게 버럭 소리를 질러 버렸다. 엄마는 놀란 듯 눈을 깜박이더니 아무 말 없이 방을 나갔다. 죄책감에 내뱉은 한숨이 아래로 가라앉았다. 내 방과 침대, 책상 모든 것이 낯설 게 느껴졌다. 머리가 어지러웠다. 속이 메스꺼웠다. 이런 기분은 1년 전 이후 처음이었다.

내가 학교에 도착한 건 점심시간 때였다. 교실에 가보니 다들 점심을 먹으러 갔는지 텅 비어있었다. 가방을 내려놓고 창밖을 바라보았다. 오늘은 날씨가 그리 좋지 않아 보였다. 어둑어둑한 게 금방이라도 비가 쏟아질 날씨였다. 우산을 챙겨오길 잘한 것 같다. 난 책상에 드러누워 잠을 청했다. 피로 때문에, 손가락 하나 까닥하기 힘들었다.

그날 오후를 어떻게 보냈는지 잘 모르겠다. 수업을 듣고, 친구들과 얘기하고, 종례를 받고. 그냥 평범한 오후였다. 교실에서 나온 뒤 난 발걸음을 어디로 향해야 할지 고민했다. 지난주는 내내 종례를 마치고 숲으로 뛰어갔었다. 하지만 이제 그곳에 나를 기다리는 이는 없었다. 가슴이 아프다. 가시가 박힌 것처럼 아프다. 이런 고통을 누군가하고 나눌 수 있다면. 누군가에게 털어놓을 수 있다면. 그 순간, 언젠가 들었던 누군가의 말이 떠올랐다.

"학교 내에는 감시자가 없으니까, 그 안에서는 친하게 지낼 수 있어. 본부 차가 온 후엔 동아리실에 놀러 와도 좋아."

나는 숲으로 걸어갔다.

문을 열자, 시끄러운 굉음이 나를 맞이했다. 페가수스의 울음소리였다.

"끼이이이이이익!!!"

"그래, 그래. 반가워."

대충 답해준 뒤 동아리실 내를 돌면서 예현 선배를 찾았다. 그러나 선배의 모습은 코빼기도 보이지 않았다.

"파이를 찾는 거야?"

뒤쪽에서 들려온 소리에 몸을 휙 돌렸다. 그곳엔 덩치 큰 체셔 고양이가 나무 위에서 몸을 둥그렇게 만 채 날 쳐다보고 있었다.

"그 스피커는 떠났어. 수도권에 있는 본부로. 지금 아마 본부로 가는 차 안에 있을걸?"

"그래…? 아, 아니…. 나는 예현 선배를 찾으러 여기 온 거야. 선배는 지금 어딨어?"

내 말에 고양이는 초록빛 눈을 반달 모양으로 휘었다.

"예현은 곧 올 거야~ 뭐 언젠가는 오겠지~ 10년 뒤든~ 30년 뒤든~"

또다시 엉뚱한 말을 듣게 될 줄이야. 난 한숨을 내쉬며 다른 곳으로 가려고 했다. 체셔 고양이는 날 전혀 신경 쓰지 않고 제 말만 했다.

"안 오면 우리가 찾아가야지~ 전에도 그랬던 것처럼~"

"어?"

이상함에 고개를 돌렸다. 내 얼빠진 모습에 고양이는 웃음을 터뜨렸다.

"우리가 무엇을 위해 이곳에 왔다고 생각해~? 우리는 만나고 싶은 사람을 찾기 위해 이곳으로 온 거야. 우리는 목적을 위해서라면 수단과 방법을 가리지 않아. 환상 사냥꾼처럼. 우리는 인간을 쉽게 신뢰하지 않아. 그런 우리가 왜 여기에 머문다고 생각해? 여기가 안전해서? 안전 따위 우리한테는 그렇게 크게 중요하지 않아. 우리가 여기에 머물기를 택한 건, 우리는 이미 만나고 싶은 사람을 만났기 때문이야."

[A5]하루의 잔상_개문동.hwp

고양이의 말은 내게 큰 충격을 가져다주기에 충분했다.

의문을 아예 가지지 않은 건 아니었다. 이들은 왜 여기에 머무는 것인가. 만나고 싶은 사람을 찾으러 왔다면, 진작에 이 생물들은 떠났을 텐데. 하나의 진실에 다다르기 전, 나는 그 진실을 또 다른 의문으로 덮었다.

"너희는, 왜 그렇게 그 사람을 만나고 싶어 했던 거야?"

파이와 예현 선배의 말에 따르면, 환상의 생물들은 모두 목적을 위해 자신이 원래 살던 세상을 떠나 이곳으로 온 것이다. 왜 그런 위험을 무릅쓰면서도, 사람을 찾으려 했던 걸까. 나는 상상도 할 수 없는 일이다. 나의 질문을 듣고, 노란 고양이는 미소를 거둔 뒤 한층 진지해진 표정으로 말하였다.

"그와 헤어질 때, 우리는 차마 그에게 작별 인사를 전하지 못했거든."

"뭐?"

나는 놀라 고개를 들었다. 이 말은, 그날의 겨울과 완벽히 일치했기에.

"그는 우리에게 많은 도움을 주었어. 처음엔 우리는 이해하지 못했지. 왜 길거리를 떠도는 우리를 그렇게 도와주는지 말이야. 하지만 그가 떠나고 나서야, 우리는 그와 함께했던 시간이 행복했다는 것을 깨달았어."

고양이는 다시 미소를 짓는다. 하지만 지금은 어째서인지 그 미소가 기분 나쁘게 느껴지지 않는다.

"그래서 이곳으로 온 거야. 우리와 같이 있어 줘서 고마웠다는 그 말을 전하기 위해서."

"얘들아~ 나 왔어~!! 어, 이소망…?"

예현 선배가 문을 열고 동아리실로 들어왔다. 선배는 나랑 체셔 고양이 둘이 있는 걸 보고 무언가 심상찮음을 느낀 것 같았다.

"혹시 무슨 일 있어?"

"아무 일 없어."

체셔 고양이는 새침하게 답하고 나무 밑으로 내려가 순식간에 어딘가로 달려갔다. 선배는 머리를 긁적이며 내게 다가왔다.

"혹시 체셔가 너한테 뭐라 한 건 아니지? 미안, 체셔가 워낙 말을 얄밉게 하거든."

"아뇨…. 그건 아니에요."

난 두 손을 흔들고 고개를 푹 숙였다. 체셔 고양이의 말을 들은 뒤 머릿속에서 맴도는 게 하나 있었다. 그것을 온전하게 이해하면 분명 나는 이 슬픔에서 결코 헤어 나오지 못할 거란 예감이 들었다.

"선배, 저는 파이한테 어떤 사람이었을까요?"

나는 선배를 쳐다보며 물었다,

"저는 파이를 심하게 대했어요. 어제는 파이한테 해서는 안 되는 말까지 했고요…. 그랬는데, 파이는 저를 어떻게 생각할까요?"

만약 그 파란 눈이, 하염없이 반짝거리던 그 두 눈이, 나를 바라볼 때 미움과 두려움으로 물든다면, 견딜 수 없을 것 같았다.

내 물음에 선배는 턱을 괴고 잠시 생각하더니, 입을 열었다.

"나는 누군가의 심리에 대해서는 잘 몰라. 아버지의 영향 때문에, 항상 공부만 했었으니까. 하지만, 이런 나도 한눈에 딱 보이는 건 있더라."

예현 선배는 부드러운 미소를 지어 보였다. 나는 그 미소에 단 하나의 거짓도 없음을 알았다.

"파이는 널 정말 좋아해. 틀림없이."

그렇다. 파이는 나를 좋아한다. 그 이유가 대체 무엇인지는 짐작할 수 없지만.

선배의 말을 듣고서야, 비로소 내가 해야 할 일이 무엇인지는 깨달을 수 있었다.

"전…."

따르르르릉!!!

[A5]하루의 잔상_개문동.hwp

그러나, 내 말은 전화 소리에 가로막혔다. 예현 선배는 잠시 양해를 구하고 마구 진동하는 핸드폰을 켰다. 폰 화면에 뜬 번호를 보자, 선배의 동공이 커졌다.

 "석호 아저씨…?"

 아저씨? 아저씨께서 왜 갑자기 전화하신 거지?

 우리는 둘 다 의아함을 느끼며 전화를 받았다.

 통화 버튼을 누르자마자, 아저씨의 다급한 목소리가 튀어나왔다.

 "예현아! 너 지금 거기 있는 거 맞지? 긴급상황이야. 본부로 가는 차량이 사냥꾼에게 탈취당했어!!!"

 "뭐라고요?!!!"

??????
기억

"당신은 어째서 그 아이를 다시 만나고 싶은 건가요?"

이 말은 제 마지막 기억입니다.
이제는 사라져 버린 그 세상의 마지막 기억.
지금은 잊어버린 그녀에게, 저는 이렇게 대답했습니다

언젠가 세상이 멸망한 뒤, 동류가 제게 다가온 적이 있었습니다.
"야, 너도 여길 뜰 거냐?"
저는 고개를 끄덕였습니다. 그것 말고 제게 길은 없었으니까요.
그도 저와 같았습니다.
전쟁으로 인해 은인을 잃었고, 은인을 만나기 위해 이 세상을 떠난다고요.
그는 피는 이어지지 않았지만, 목적은 같은 형제들이 있었고, 그들과 함께 은인을 찾으러 가겠다고 말하였습니다.
어째서냐고 물었더니, 그는 초록색 눈을 반달 모양으로 휘었습니다.
"그거야 당연한 거 아냐? 그 인간은 우리를 행복하게 해주기 위해 뭐든지 다 했거든. 우리는 그를 찾아 은혜를 갚을 거야."

과거의 기억을 꾸고 일어난 밤은, 다소 어두웠습니다.
저는 추위를 느끼며 밖을 바라보았습니다.
하늘은 먹구름으로 가득 채워져 있었습니다. 빗방울이 차창을 따라 떨어지는 것을 보며, 저는 지난밤의 당신을 회상합니다.
저는 당신에게 상처를 입힌 것일까요.
저의 상처로 인한 행동이, 도리어 당신에게 상처를 준 것일까요.
가슴이 아픕니다.

서로 상처 입는 관계는 결코 오랫동안 이어질 수 없습니다. 어느 한쪽이 인연을 끊어내든, 아예 파탄이 나든, 안 좋은 결말이 나기 마련이죠.

그리고 그 이유는 대부분 상호 간의 이해 부족에서 오는 경우가 많았습니다.

역시 서로 이해를 못 한 게 우리를 이렇게 만들고 만 것일까요.

조금이라도 당신을 이해했어야 했던 걸까요.

후회가 밀려옵니다.

창밖을 보며 저는 당신을 그리워합니다.

그때, 공간이 덜컹거리며 큰 굉음이 온 사방에 퍼집니다.

저는 벽에 부딪혀 쓰러집니다.

안에 있는 동물들이 모두 당황한 채 소리를 내지릅니다.

"히이이잉!!! 히이이잉!!!"

"뭐얏!! 무슨 일이야?!!"

이윽고 차의 문이 열리고, 낯선 사람들이 안으로 들어섭니다. 익숙한 얼굴들입니다. 그들 중 두 명이 절 죽이려고 한 사람들이었습니다.

"이야~ 여기 아주 돈 밭이네. 와~ 이게 다 얼마야?"

히죽거리던 사람은 앞에서 벌벌 떨고 있는 동물 하나를 붙잡아 들어 올립니다. 그 동물은 겁에 질린 목소리로 비명을 지릅니다.

"사냥꾼이야!!! 사냥꾼이야!!!"

"아이, 시끄러워 죽겠네."

탕!!!

총소리와 함께 붙잡힌 동물이 축 늘어집니다.

그것을 보고 모두가 흥분해 소리 지릅니다.

"감히 너 같은 인간이!!!"

"캬아아아악!!!"

"끼이이이이이익!!!"

동물들이 일제히 사냥꾼들을 향해 달려듭니다. 당황한 사냥꾼들은 그들에게 총을 겨눕니다.

페가수스가 말발굽으로 어깨를 짓누르고, 그리핀이 사냥꾼의 살점을 뜯어냅니다.

사냥꾼들이 구미호의 배에 총알을 박고, 페어리의 날개를 칼로 잘라냅니다.

엉망진창인 상황 속에서 저는 아픈 몸을 일으킵니다.

여기는 전의 세상과 너무나도 비슷했습니다.

서로를 이해하지 못하고 싸우다 전멸해 버린 이들.

'당신'이 그곳에서 죽었던 것처럼, 저도 가만히 있다간 여기서 목숨을 잃을 테지요.

그러긴 싫었습니다.

저는 그들이 안 보는 틈을 타 차 밖으로 뛰어내렸습니다. 그리고 온 힘을 다해 달렸습니다. 얼마 지나지 않아 저를 발견한 사냥꾼이 외치는 고함이 들려옵니다.

"저기 스피커가 달아난다!!"

"이번에 저 새끼 꼭 잡아야 돼!!! 안 그럼 우린 죽는다고!!"

총을 쏘는 소리가 연달아 들립니다.

다행히 저를 맞춘 총알은 없습니다. 몸집이 작은 게 얼마나 축복인지 모르겠습니다.

저는 풀숲 사이를 달려 전장을 벗어났습니다.

얼마나 뛰었을까요.

슬슬 저번에 부러진 다리에 고통이 느껴져 옵니다.

비 때문에 몸도 매우 차갑습니다.

이러다간 잡히기도 전에 쓰러져 죽을지도 모르겠다는 생각이 듭니다.

문득 어제 들었던 말이 떠오릅니다.

'죽고 싶지 않다며!!! 살고 싶다며!!! 그럼 죽을 짓 좀 작작해!!!'

그렇죠. 전 죽고 싶지 않았죠.

하지만 그건 전부 당신 때문입니다.

제가 죽고 싶지 않아 하는 것도, 죽을 짓을 자처하는 것도.

전부 당신과 함께하기 위함입니다.

저를 구해준 당신과.

저에게 미소를 지어준 당신과.

저에게 이름을 붙여 준 당신과 영원히 함께하기 위해.

설령 당신에게 이해받지 못한대도, 상관없습니다.

당신과 함께 있을 수만 있다면, 당신과 저를 잊어버리지 않는다면,

저는 그걸로 충분합니다.

언젠가 있었던 처음의 기억을 떠올립니다.

그 기억 속엔 '당신'이 있었고, 행복으로 가득했지요.

어린 저에게 '당신'은 이름을 붙여주었습니다.

"음…. 이름을 뭐로 해야 할까…. 그래, 해피 어때? 해피!!"

"해피?"

고개를 갸우뚱거립니다.

"이름이 해피인 건…. 내 말투가 이래서 그런거냐피?"

"응, 그것도 있긴 한데…."

'당신'은 미소를 짓습니다.

"해피는 행복을 의미하거든. 그러니까 너의 이름을 해피로 지은 거야. 넌 나의 행복이니까!"

"당신은 어째서 그 아이를 다시 만나고 싶은 건가요?"

이 말은 제 마지막 기억입니다.

이제는 사라져 버린 그 세상의 마지막 기억.

강루치나

지금은 잊어버린 그녀에게, 저는 이렇게 대답했습니다

저는 당신의 행복이니까요.

11

진실과 진심

전화를 마치고 우리는 곧바로 경찰서로 뛰어갔다. 경찰서 안으로 들어왔을 때, 석호 아저씨는 선배를 뒤따라온 나를 보고 깜짝 놀랐지만, 무어라 말하지는 않았다. 선배가 아저씨께 물었다.

"아저씨, 차는 어떻게 됐어요?"

"다행히 무사히 되찾았대."

정말 천만다행인 소식이다. 쿵쾅대던 가슴을 쓸어내렸다. 그러나 그 안심은 오래가지 못했다.

"차량과 안에 있는 동물들은 되찾긴 했지만…. 곤란한 일이 하나 있어."

"무슨 일인데요?"

아저씨는 잠시 망설이다가 어두운 표정으로 입을 열었다.

"파이가 실종됐대."

"네?!!!"

순간 놀라서 주저앉을 뻔했다. 파이가 실종됐다고? 이게 대체 뭔 소리야?

파이 이놈은 온갖 사건 사고에는 다 휘말리나 보다. 보는 사람이 다 피 말려 죽을 지경이다. 지끈거리는 머리를 붙잡고 아저씨께 질문을 던졌다.

"차량을 탈취한 사냥꾼들은요? 지금 어떻게 됐어요?"

"몇 명은 잡았어. 도망치는 놈들도 수색 중이고."

"파이의 흔적은 남아있나요?"

"없어. 그 지역에 비가 와서 다 쓸어 내려갔다고 하더라고. 하…. 정말 미칠 것 같다."

석호 아저씨는 마른세수를 하다가 우리를 내려다보았다.

"일단, 소망이 넌 가 있어. 혹시 파이를 발견하면…. 곧바로 연락 줘야 돼. 알았지?"

경찰서를 나오니, 빗방울이 토독토독 떨어지기 시작했다. 난 가방 안에 있던 우산을 펼쳐 집으로 걸어갔다. 물웅덩이를 피해 길을 걷는 내내 머릿속에서는 파이에 관한 것만 계속 맴돌았다.

'파이….'

파이가 혹시라도 사냥꾼에게 잡혀간 거면 어쩌지? 전에 도서관에서 만났던…. 그 사람처럼 무서운 사람이 파이를 해치기라도 하면…. 상상만으로 두려워 미칠 것 같았다.

'…잠깐, 환상 사냥꾼?'

그 순간, 무언가가 퍼뜩 떠올랐다. 나는 곧바로 생각난 곳을 향해 뛰어갔다. 한참을 달리다 도착한 곳은 바로 집 앞 공원이었다. 파이를 처음 만난 곳. 내 인생이 바뀐 공간. 혹시라도 여기에 파이가 있지 않을까 추측해 본 것이었다. 하지만 아무리 뒤져봐도 파이의 털끝 하나 보이지 않았다. 역시 꽝인가 하고 낙담하던 그때, 파이를 처음 만난 날, 파이가 했던 말이 떠올랐다.

"엣헴! 난 기억력이 좋다피! 그러니 소망이 집까지 올 수 있었던 거다피!!"

만약 그렇다면, 파이가 정말 기억하고 있다면. 파이가 정말 '나'와 함께한 것이라면. 파이는 분명 우리 집으로 갔을 것이다. 그런 결론에 다다르자, 나는 집으로 발걸음을 재촉했다.

집 앞에 도착하니, 현관문 앞에 널브러져 있는 꼬질꼬질한 털 뭉치가 눈에 들어왔다. 그 털 뭉치는 인기척을 느끼고 고개를 들었다. 그 커다란 눈동자에 온전히 나를 담자, 회색빛 얼굴에 미소가 지어졌다.

"소망아……."

얇지만 어린아이 같은 고운 목소리. 그 목소리를 듣자마자 나는 파이에게 달려가 그를 꼭 안았다.

"파이…. 미안해…. 정말 미안해…."

"헤헤…. 피이…. 소망아…. 널 만나니까 정말 기분 좋다피… 다시는 떠나지 마라피…"

아무리 험한 말을 들어도, 파이의 나를 향한 애정은 변하지 않았다. 그 모습을 보며 나는 마지막 남은 의문을 파이에게 속삭였다.

"파이…. 너는 나를 왜 이렇게 좋아하는 거야? 왜 이렇게 나와 함께 있고 싶어 하는 거야?"

파이는 잠시 침묵했다. 할 말을 찾는 건지, 아니면 말하고 싶지 않은 건지 알 수 없었다. 몇십 초 정도 지나고, 파이가 입을 열었다.

"원래는…. 말하면 안 되는 거지만…."

파이의 두 눈이 나를 향했다. 비를 쫄딱 맞았음에도 그의 눈은 여전히 빛나고 있었다.

"난…. 소망이 너를 다시 만나고 싶어서…. 이곳에 왔다피… 내가 있는 곳은 모두가 죽어버려 아무도 살아있지 않은 곳이었다피… 너도 그곳에서 죽어버렸다피… 그래서… 나는 널 찾고 싶었다피… 너를 다시 만나 함께하고 싶었다피…. 나는 너의 행복이니까…. 네가 우울해하지 않았으면 했다피…."

아, 그런 거였구나. 이 진실에 관한 건 아까 체셔 고양이에게 그 말을 들었을 때부터 대충 짐작하고 있었다. 하지만 그때는 그 진실을 인정하면, 내가 그동안의 네 노력을 무시했다는 게 사실이 될까 봐 애써 외면했다. 하지만 지금은 받아들인다.

네가 나를 만나러 왔다는 사실을.
네가 나를 다시 만나 함께하기 위해 나에게로 찾아왔다는 진실을.
나랑 함께 있는 것에 대한 너의 진심을.
그러니까 지금부터 내가 너에게 말하는 진심은,
오늘까지 네가 걸어온 길에 대한 나의 존중이자, 너와 함께하기 위한 약속이다.

"파이, 네 곁을 떠나지 않을게."

우리는 앞으로도 서로를 이해하지 못할지도 모른다. 그래도 우리는 함께하는 시간을 더욱 소중히 만들 것이다.

너를 위해, 그리고 나를 위해.

우리는 함께할 것이다.

나는 파이의 귀에 대고 나의 진심을 전했다.

"파이, 네 곁을 절대 떠나지 않을게."

[A5]하루의 잔상_개문동.hwp

에필로그

나의 첫 행복에게

1년 전의 겨울 기억나?

우리의 마지막 만남이었지.

나는 너에게 차마 작별 인사를 하지 못했었어.

그때는 왜 그랬는지 나조차도 이해하지 못했는데, 지금은 그 이유를 조금이라도 알 것 같아.

네가 떠난 후에야, 난 너와 함께했던 시간이 그 무엇보다도 행복했다는 걸 깨달았거든.

내 조용한 인생에서, 너는 유일하게 시끄러운 존재였지. 가끔은 사고 치거나 날 골탕 먹이기도 했지만, 그래도 난 네가 참 좋았어.

그날 겨울, 네가 없는 밤은 너무나 고요했어. 그리고 슬펐지. 난 그 슬픔을 느끼고 싶지 않아서 필사적으로 너와의 이별을 외면했어. 그래서 그동안 널 찾아오지 못했던 것 같아. 정말 미안해.

하지만 이제는 너를 떠나보내야 한다는 걸 알아.

나는 다시 행복하게 살아가야 하고, 너도 내 걱정 없이 편히 잠들어야 할 테니까.

나는 최근에 새로운 친구가 생겼어. 너처럼 말은 많지만, 마음씨는 착한 애야. (솔직히 착한 성격인지는 아직 잘 모르겠지만, 이건 같이 살면서 서서히 알게 되겠지, 뭐.)

너와의 추억을 완전히 잊을 수는 없겠지만, 앞으로 이 친구와 함께 하면서 행복한 추억을 쌓아가려고 해.

언젠가 나의 추억 쌓기가 끝난다면, 우리는 다시 만날 수 있을 거야.

전하지 않았던 작별 인사는 여기까지야.

원래는 여기서 끝내려고 했지만, 마지막으로 이 말은 너에게 전해줘야겠지.

해피, 내 행복이 되어주어서 정말 고마워.

[A5]하루의 잔상_개문동.hwp

카이퍼 벨트

*우리는 모두
같은 별 아래 사는 이웃이다.
-세르게이 카프리카*

1. ☆

"아르 꼭 형을 지켜야 한다…"

또다.

같이 놀라서 깬 아르가 다가와 내 볼을 핥는다. 여지없이 이 꿈만 꾸고 나면 눈물을 흘린다는 걸 아르도 아는 듯, 퍽 익숙한 행동이다

나는 자리에서 일어나 시간을 확인했다.

4시.

다시 잠들기는 어려운 걸 알아 그냥 일어나기로 했다.

"아르테르스의 명예를 위하여"

"형! 아까 훈련 때 아르 그 기술 뭐예요?"
오후에 있는 트리어 합동 훈련 후에 물을 마시고 있는데, 차서호가 와서 말을 걸었다. 차서호는 풀 속성 트리어를 보유한 동기로, 나보다 조금 어려서 그런 건지 천진난만하다.
"아 드디어 완성했지. 아르랑 정말 고생했다."
"우와 가끔 생각하는 건데 형 진짜 대단하신 거 같아요. 저도 그렇게 되고 싶어요."
나를 신기하다는 눈초리로 쳐다본다.
"넌 일단 수업 때 졸지나 마"
"아니 근데 솔직히… 트리어에 대해서 우리가 그렇게까지 알아야 할까요? 연구원도 아니고…"
"트리어를 잘 알아야 우리가 더 강해질 수 있는 거지."
"뭐… 알겠어요. 형 이따 봐요!"

오늘은 휴가를 받아서 밖에 나왔다.
"어머니, 아버지 저 왔습니다."
"알!"
"아르도 벌써 이렇게 컸어요. 저는 군에 입대했고요. 잘하고 있대요."
바람 소리가 귀를 스쳤다. 마치… 대답하시는 것처럼.
"제가 꼭 모든 전쟁을 끝낼 거예요. 더 이상 희생당하는 이가 없도록."
"또 올게요"

　　　　　　　　　　[A5]하루의 잔상_개문동.hwp

부모님을 찾아뵌 날이면 어김없이 그 기억이 떠오르곤 한다.

"엄마, 아빠! 얘 좀 보세요!! 꼬리를 계속, 계속 흔들고 있어요!"
나에게 아르가 찾아온 날이었다. 흰색의 조그마한 생명체 하나가 나에겐 참 기꺼웠다.
"아이고 그렇게 좋아? 여보, 품 안에 쏙 안겨있는 거 봐요. 둘 다 너무 귀엽다!"
"그러네… 강아지 같기도 하고… 아니 용인가…아, 아무튼. 한울아, 그 친구 이름은 정했어?"
"아니… 좋은 이름을 잘 모르겠어요."
"음…그러면 엄마가 좀 도와줘도 될까?"
"어, 당연하죠! 엄마! 좋은 생각이 있는 거예요?"
"응, 혹시 '아르'는 어때?"
"응? 아르? 그게 뭔데요?"
"한울아, 이리로 와봐"
어머니는 나를 옥상으로 데리고 갔다.
정말 별이 잘 보이는 날이었다.
"저기 별 보이지? 저기 있는 밝은 별 중에 아르쿠르스라는 별이 있어. 거기서 따온 거야"
"엄마는 한울이가 항상 별처럼 빛나는 존재들과 함께했으면 좋겠어."

평생을 함께할 작은 생명체가 나에게 새겨진 순간이었다.

이은서   179

"어~왔냐! 아르도 왔네! 오랜만이다."

"어. 오랜만이다."

저녁엔 이새롬과 만났다. 이새롬은 센터에서 같이 자란 친구다. 오랜만에 본 친구의 모습은…

항상 높게 묶던 머리와 똘망똘망한 눈방울은 없어지고 헝클어진 머리에 피곤한 기색의 두 눈만 보였다.

"야야, 먼저 한 잔 받아."

"너 얼굴 보기가 왜 이리 힘드냐. 입대했다는 건 들었는데."

"아무래도 입대를 했으니…. 넌 잘 지내고? 많이 피곤해 보이는데."

"요즘 일이 많다…"

"그래 연구 잘 되고 있나 보네."

"나야 뭐 엘리트잖아?"

"여전하네"

이새롬의 당당함에 웃음이 나왔다.

"아 애들이 너 보고 싶어 해. 한번 들려"

아. 맞아, 애들.

그쪽 지역에서 큰 분쟁이 있었다는 소식을 듣진 못했지만, 심장이 철렁했다. 잘 있는 거 맞겠지?

"나도 그러고 싶지… 애들 잘 있지?"

"어 아직 괜찮아. 애들 많이 컸다. 새로 들어온 아이들도 많은데… 다 너랑 나랑 비슷한 상황이더라."

그 말을 들으니, 걱정이 담긴 안도의 한숨이 나왔다.

"그래… 그래도 다행이다… 그래 너랑 내 세대에서 이 전쟁은 끝나야 해."

"그랬으면 좋겠네. 아니, 그래야지."

그날 밤엔 또 꿈을 꿨다.

전쟁은 내 가족들을 앗아갔다. 더 이상 소중한 사람을 잃고 싶지 않았다. 이 전쟁을 끝내려면 군에 입대하는 게 내가 지금 할 수 있는 최선의 일이라고, 그렇게 생각했다.

어느 날은 아르의 용암 활용에 대해서 훈련하던 날이었다. 전쟁을 끝내기 위해선 더 강해져야 했다. 계속 훈련을 거듭해서 완벽하게 만들어야 했다.

"아르, 아무래도 날면서 내뿜는 건 아직 무리지?"

아르는 아직 용암을 지면에서만 활용할 수 있었다. 불 속성 트리어들이 사용할 수 있는 용암은 많은 체력과 에너지를 요하기 때문에 대부분 이것에 애를 먹고 있었다.

"아르르…"

심기가 불편해진 아르를 보며 웃음이 나왔다.

"그래, 우리가 함께하면 못할 게 뭐가 있어. 다 할 수 있지."

"알! 알!!"

"알았다니까, 계속 연습하자."

"자! 아르 날아봐!"

아르가 이렇게 '우리의 합'에 자신감을 느낄 때면 이 기억이 떠오른다.

"엄마! 아빠! 빨리요, 빨리!"

"한울아, 그렇게 좋아?"

"네! 너무 기대돼요! 아르와 함께라면 1등 할 수 있을 거 같아요!!"

"알!"

"아르도 신났네. 웃고 있는 거 같은데?"

"아르! 진짜 기대되지?"

"알!"

"자, 이제 가자!"

우리가 간 곳은 「미션 컴플리트! with 트리어 」 행사장이었다. 부모님이 내가 하도 조르니 데려가 주셨었다. 이 행사는 아이들뿐만 아니라 성인들도 안 해보는 사람이 없다는 행사였고, 학교에서는 이 행사 얘기가 끊이지 않았기 때문에 나도 꼭 참여해 보고 싶었다.

"엄마! 아빠! 여기가 정말 그 행사장이에요? 우와! 사랑해요!!"

"한울이가 좋다니 다행이네."

이 행사는 한마디로, 트리어와 함께 미션을 수행하여 기록을 세우는 행사였다. 미션은 움직이는 구조물 위에서 달리기 같은 것들이었는데, 특별한 규칙이 있는 것은 아니었고, 트리어와 함께 완료하기만 하면 되는 거였다. 트리어의 능력과 인간과 트리어의 합을 증명해 낼 수 있는 행사였다. 그래서 인기가 정말 많았던 것 같다. 지금도 기록을 세우는 사람들을 심심찮게 찾아볼 수 있으니 말이다.

도착했을 때는 정말 많은 인파가 몰려 있었다. 정말 다양한 사람들과 트리어들이 있었다.

"아 트리어들 너무 귀엽다!"

트리어들은 대개 50cm 정도까지 자란다. 그리고 각양각색의 모습을 가지고 있다. 털을 가지고 있을 수도 없을 수도 있고, 꼬리가 있을 수도 없을 수도 있다. 마치 고양이 같은 개체도 있었고 뱀 같은 개체도

[A5]하루의 잔상_개문동.hwp

있고… 정말 다양했다. 그래서 각기 다른 매력을 가지고 있었고 나는 그런 트리어들이 정말 좋았다. 어릴 적 아르가 아직 찾아오지 않았을 때에도, 부모님의 트리어들과 정말 사이가 좋았고 그들을 정말 귀여워했다.

그런데 그 트리어들은 그 작은 몸에서 놀라운 파워를 보여주었다.

"한울아, 저기 봐. 저 트리어는 얼음을 저렇게 크게 만들 수 있나 봐."

"우와! 신기해! 아르! 너도 해보면 안 돼?"

아버지가 웃으면서 말씀하셨다.

"한울아, 말했잖아. 아르는 불 속성이라 얼음 같은 건 못 만들어."

"그래도… 너무 멋있는데…"

"아빠가 보기엔 다 멋있는걸. 아르도, 저 트리어도."

"그런가? 맞아! 다 멋있는 거야! 아르, 너 진짜 멋있어!"

"알? 알!"

아르와 부모님이 활짝 웃으며 나를 바라보셨다.

나는 그날 「초급 미션 달리기 학생용」 종목에 참가했다. 완주까지 장애물은 5개. 어린 나는 신나게 계획도 없이 출발했다.

첫 장애물은 높게 떠 있는 동그란 발판들을 밟아 넘어가는 거였다. 물론 다치면 큰일 나기 때문에 바닥은 아주 푹신한 에어매트가 깔려 있었다. 내가 먼저 넘어가면 그 뒤로 아르가 뒤따라왔다.

"아르! 정말 잘했어!"

"알!"

두 번째 장애물과 세 번째 장애물은 각각 트램펄린 위에서 점프해 위로 도약하는 거였고, 세 번째는 돌아가는 발판들을 밟아 나아가는 거였다. 세 번째까지는 혼자서 나아갔지만, 네 번째부터가 좀 문제였다. 네 번째 미션은 밧줄을 잡고 경사진 곳을 오르는 거였는데 힘이 부족했던 나는 중간에서 움직이지 못하는 상태였다.

"헉… 엄마! 아빠! 어떡해요?"

그때 아르가 날아와 그 조그마한 몸으로 나를 뒤에서 밀어주었다.

"알!"

아르가 밀어주기 시작하니 힘을 짜내서 정상까지 도달할 수 있었다.

"아르, 정말 고마워. 정말 큰일 날 뻔했어."

정상에 도달하니 더 막막한 코스가 기다리고 있었다.

그곳에서 아래에 놓인 트램펄린으로 가 점프해 집라인을 타고 내려오는 거였다. 그리 어렵게 보이지 않을 수 있지만, 키가 작았던 나에겐 집라인이 너무 높이 있어서 곤란했다.

"이걸 어떻게 넘어가지…"

"알!"

그때 멀리서 부모님의 목소리가 들렸다.

"한울아! 아르의 불꽃 능력을 잘 생각해 봐."

'불꽃…?'

'음…'

"아! 아르 나 좀 도와줘!"

"알!"

난 아르에게 내가 트램펄린에서 다시 뛰어오르면 작은 폭발을 만들어달라고 부탁했다. 지금 생각해 보면 위험한 짓이긴 했다. 그렇지만, 그때는 그저 해낼 수 있을 거라는 생각만으로 행동했던 것 같다.

"아르! 하나, 둘, 셋 하면 뛸게!"

"하나…둘…셋!"

나는 아르를 믿고 무작정 뛰어내렸고 아르는 완벽한 타이밍에 나를 서포트해 줬다.

아슬아슬했지만 다치지도 않았고, 무사히 완주할 수 있었다.

"아르! 우리 짱이었어!"

"아르르!"

완주하고 나서 나는 아르를 꼭 안아주었다.

이게 아르와 말하지 않아도 참 잘 맞는다고 생각했던 첫 기억이다.

2. !

"제1사단 집합한다!"
아르와 훈련 중 쉬고 있을 때 집합 명령이 떨어졌다.

"지금 동쪽 지역에서 침입이 있다고 한다. 현재 동쪽에 매우 인력이 부족한 상황이라 지원을 가야 하는 상황이다. 빠르게 이동한다."
도착해 보니 생각보다 상황이 심각했다. 부상자가 꽤 있는 듯했다.
동쪽 지역은 원체 지형이 험준하다. 그래서 웬만하면 동쪽은 건들지 않는다. 절대 뚫리지 않는 장벽으로 불렸는데…
"왜 이렇게 된 겁니까?"
도착하자마자 중령님이 물으셨다.
"지금 김현경 소위님 제외 병사들밖에 없는 상황입니다! 다른 분들은 중앙에 회의를 간 상황입니다. 그리고 어제 휴가 나간 병사들이 꽤 됩니다…"
"그 상황을 다 알고 얘네가 쳐들어왔다고?"
"저도 이게 우연인지…"
예전에 동쪽으로 적군들이 쳐들어왔다가 20%도 살아 돌아가지 못한 적이 있다고 한다. 그 이후로 동쪽을 공격한 적은 한 번도 없었기

[A5]하루의 잔상_개문동.hwp

때문에 우리 쪽이 방심했다. 그런데⋯ 이렇게 맞물릴 수가 있나⋯?

중령님이 빠르게 명령하기 시작하셨다. 나도 자리를 잡고 대기했다.

"아르 오늘도 잘 부탁해."

"알!"

"강한울 이등병, 잠깐 얼굴 좀 보지."

"네! 중위님."

"내일 연구소로 오라는 지령이다."

"네 알겠습니다."

트리어 강화연구소. 국가에서 가장 큰 연구소로 말 그대로 트리어를 강화하는 곳이다. 이제 이 시대엔 전쟁의 승리는 트리어로 결정된다. 아르테르스는 트리어가 나타난 순간부터 연구소를 짓기 시작했다고. 따라서 아르테르스의 기술력은 아주 월등하다고 한다. 나는 그리고 이제2연구소 윤성재 소장님을 만나라는 명령을 받았다. 윤성재 소장은 엘리트 코스를 밟아 연구소에 들어온 국내 최고의 연구원이다. 그런 사람이 내게 무슨 볼일이지?

똑똑똑

"들어오게나."

"아르테르스의 명예를 위하여"

"아르테르스의 명예를 위하여"

"안녕하십니까."

"오 그래, 자네가 그 강한울 이등병? 이 더운 날에 여기까지 발걸음해 주어 고맙군. 이야 이거 인물이 생각보다도 더 훤칠하구면.”

“아닙니다. 그런데 제게 무슨 볼일입니까?”

“이번 전투에서 활약한 건 잘 봤네. 자네와 자네의 트리어가 죽이 참 잘 맞더군. 다만 앞으로는 더 험난한 전투가 기다릴 테지, 그러면 더 강한 트리어가 필요할 거고.”

“나의 임무는 트리어를 개조하는 것, 이번에 새로운 트리어가 탄생했다. 난 이 친구를 자네가 맡아줬으면 좋겠어.”

“제가 말입니까?”

“그래, 트리어란 존재는 항상 우리에게 도움만 주고 있어. 그런데도 사람들은 그다지 고마워하지 않지. 특히 군부 놈들이 그렇다. 그런데… 자네는 좀 다르게 보이더군. 트리어를 믿고 그 폭탄 밭에 달려드는 건 웬만한 신뢰가 있지 않고서야 안 되거든.”

“아르르…”

“아르 쉿.”

“그래, 자네와 트리어와의 관계가 너무 좋아. 자네라면 이 트리어도 잘 아껴줄 것 같구나. 부디 아르테르스의 명예를 빛내는 데 도움이 됐으면 한다. 이리로 와 보렴.”

윤성재 소장은 날 더 깊숙한 방으로 안내했다. 그리고 난 거기서 작고 까만 물체를 볼 수 있었다.

나도 모르게 입이 딱 벌어졌다. 트리어에게서 왜 이런 기운이 느껴지지?

이런 기운은 전장에서밖에 느껴본 적이 없는데…

“넌 이미 느낀 거 같구나. 좀 놀랐지? 사실 이 기운은 평범한 사람들은 잘 느낄 수 없는데 대단하구나. 살상용으로 개조됐기 때문에 평범한 트리어와는 다를 거야. 그래도 다른 트리어들과 똑같이 느끼고 반응한단다.”

삐이-

“잘 부탁한다. 다만 위험한 녀석이니 각별히 주의해야 해.”

[A5]하루의 잔상_개문동.hwp

나는 부대로 돌아오며 윤성재 소장이 알려준 것에 대해 생각했다. 이 작은 녀석이 현재 존재하는 물 속성 트리어의 백배 효과를 낸다고? 그게 가능한가?

똑똑똑.

"들어오게."
"아르테르스의 명예를 위하여."
"그래, 윤성재 소장과의 만남은 어땠는가? 윤성재 소장을 만나는 건 흔치 않은 일이야."
"제게 트리어를 하나 주셨습니다. 현존하는 물 속성 트리어의 100배에 가까운 위력을 가지고 있다고 하셨습니다. 위험하니 각별히 주의하라는 말씀도 덧붙이셨습니다."
"그래, 좋은 물건을 받았군. 그 깐깐한 소장이 널 마음에 들어 하다니 우리 부대에선 영광이야. 앞으로 그 녀석과 많은 훈련을 함께해 빨리 사용법을 익히도록."

"알겠습니다. 아르테르스의 명예를 위하여"

"너의 이름은 무엇이 좋을까…."
"삐이…."
"오늘 밤은 유난히 별이 잘 보이네. 아마 내 기억이 맞다면, 저기 가장 밝은 별이 베가라는 별일 거야."
"알!"
"아르, 맞다고? 그래, 너의 이름은 베가로 하자. "

삐!

"그래 아르, 베가 앞으로 잘 부탁한다. "

다음 날 나는 훈련을 진행했고, 나와 우리 부대 사람들은 모두 경악을 금치 못했다. 아무도 이렇게 강력한 힘은 예상하지 못했던 탓이다. 부대 사람들은 정말 조금만 더 버티면 전쟁의 종말을 맞이할 수 있겠다며 기뻐했다. 나도 끝이 다가온다는 생각을 어렴풋이 했던 것같다. 드디어 이 지옥 같은 전쟁이 끝이 난다는 생각과 훈련에 더 매진했다.

그날은 정말 더운 날이었다. 훈련이 끝나면 아르와 베가와 물놀이라도 할까 하던 날이었다.

맞다, 그날은 아르와 베가의 능력을 동시에 사용하는 훈련을 하고있었다. 그리고 경보가 울렸고, 북부에 급작스럽게 놈들이 쳐들어왔다고, 북부에 인력이 부족하니 우리도 빠르게 출전해야 한다는 명령을 받았다.

"아르, 베가 가자."

베가는 정말 생각보다도 더 강한 녀석이었고, 상대 놈들은 손쓸 도리 없이 베가에게 당했다.

"형! 베가는 정말 뭐예요? 그냥 쓸어버렸는데요?"

차서호와 동료들이 감탄하며 한 마디씩 던지던 중이었다.

"그 소장은 정체가 뭘까. 어떻게 한…"

"엎드려!!"

픽 소리와 갑자기 말하던 후임 하나가 쓰러졌다.

그 순간 아무 소리도 들리지 않았다. 아무도 없는 것처럼, 고요했다. 터지듯 당황한 동료들의 비명 소리가 터져 나왔다.

이게, 뭐, 야…?

어?

정말 갑자기 일어난 일이었다. 상대국일 확률은 저조했다. 그들은 트리어들이 확인 사살까지 한 상태였으니까. 그렇다고 아군이라니 그럴 리가 없었다. 그렇다면 도대체 누가? 머리로는 이런 생각을 하면서 몸은 반사적으로 상대를 찾고 있었다.
"중위님! 지시를 내려주십시오!!"
"대체 이게 무슨 일입니까?"
그리고 총격 사이에서 무언가 터지는 소리가 들렸다. 그리고 나는 평생 잊지 못할 장면을 목격했다.

뒤를 돌았을 때 보인 것은, 빛이었다.
분간이 잘 가지 않았다.
뭐지?
그리고 보인 것은,

액체.

액체?

머리에서는 이 사실을 받아들이지 못하는 듯했다.
방금까지 같이 공격한 차서호의 트리어의 몸통과 얼굴이 분리되어 있었다. 그 옆에는 초록 액체들이 낭자했다.

이은서   191

내가 지금 뭘 보고 있는 거지?

동시에 여기저기서 귀가 찢어질 듯한 비명이 들렸다.
아무 생각도 할 수 없었다.

고개를 돌리니 울부짖는 차서호가 보였다.
지금 트리어가 어떻게 된 거지?
지금 죽은 거야?
잠시만… 아르, 베가?
나는 그저 고개를 돌려 주변을 확인하는 것밖에 하지 못했다.
"모두 남은 트리어만 데리고 돌아간다. 철수한다!"
모든 지시가 이명으로 들릴 뿐이었다.
총격에 동료가 죽고, 트리어의 사체가 굴러다니고 있었다. 트리어들
은 죽이지 않는다. 전쟁을 한 후엔 상대국의 트리어들은 기절시킨 후
데려가 야생에 풀어준다. 그리고 그게 인간의 도리였다. 트리어만큼은
죽이지 않는 것, 모두가 동의를 한 부분이었다. 그래서 트리어가 이렇
게 처참하게 죽는 건 모두가 처음 봤을 것이다. 그리고 난 제정신을
잃었던 것 같다. 난 뒤를 돌아 달려나갔다. 그 자식을 내 손으로 없앨
생각이었다. 그리고 또 그 자리에서 굳을 수밖에 없었다. 뒤를 돌았을
때 웃고 있는 윤성재 소장의 얼굴을 볼 수 있었다. 저게 내가 보는
게 맞아? 윤성재 소장이라고?
"모두 사격 중지."
그 한마디에 사방이 고요해졌다.
"여러분 제가 아침에 보낸 선물은 잘 받으신 것 같네요."
선물…? 무슨 선물?
"모르는 것을 막 먹으면 안 될 텐데…"

[A5]하루의 잔상_개문동.hwp

그때 머리에 지나가는 것이 있었다. 강화제. 오늘 아침에 부대에 들어온 트리어 강화제. 그 연구소장이 개발했다며 들어온 강화제.

"그 정도는 초등학생도 알 법한데. 조심하셔야죠."

나는 내가 제대로 알지 못하는 건 트리어들에게 먹이지 않았다. 이새롬이 줬다고 해도 안 먹였을 거다. 그렇지만 대부분은 신나서 각자의 트리어들에게 먹였다.

"제가 새로 개발한 거예요. 간단히 트리어들의 숨통을 끊을 수 있죠."

난 더 이상 참지 못하고, 총을 들고 조준하려던 순간이었다.

"전원 일단 철수한다!!! 명령이다."

중위님의 목소리가 들렸고, 나는 떨리는 손을 내리고 뒤를 돌았다.

그날 전장에 나갔던 인원 중 살아 돌아온 건 1/3이 채 안 됐다. 그날로 아르테르스는 혼란에 빠졌다. 그자는 민간인들을 공격하기 시작했고, 트리어들은 정말 빠르게 죽어나갔다. 나는 충격이 채 가시기도 전에 다음 전투를 준비해야 했다. 그자를 끝낼 전투를.

그자는 트리어에 미친 것처럼 보였다. 트리어 연구소를 한 달간 3개를 남기고 쓸어버렸다. 다음으로 쳐들어올 확률이 높은 곳에 우린 잠복했다.

그리고 그자가 들어왔다. 어차피 나의 존재는 알고 있겠지. 중요한 건 정확한 타이밍이다.

"쥐새끼가 숨어 있네? 트리어만 남겨두고 모두 떠난 이 빈 연구소에 사람의 기척이 느껴질 리가 없는데 말이지."

"뭐… 상관없나?"

발소리가 들리고 트리어를 처리하는 소리가 들렸다.

지금이다.

아르가 용암으로 도망칠 경로를 끊었다.

"고작 이런 걸 준비한 거면 실망인데."

순간 큰 소리와 함께 시야가 점멸했다.

"아르! 베가!!"

언제 설치한 건지도 모르겠다. 일단 피한다.

"이런…!"

그때 베가도 상공에서 폭탄을 날렸다.

이자는 트리어와 함께 다니지 않는다. 가릴 것 없이 공격하라고 명령한다.

"베가는 내가 만들어냈다는 걸 잊은 거냐?"

물론 베가는 미끼다. 과연 내가 혼자 왔을까.

"이새롬!!!"

"뭐라고?"

윤성재의 왼편 위에서 기다리고 있던 이새롬이 뛰어내리며 폭발을 일으켰다.

"내가 있는 것도 눈치채지 못할 정도면 꽤 긴장했나? "

하얀 가루가 흩날렸다. 이 공격을 피하긴 쉽지 않았을 거다.

"이새롬 소장을 여기서 볼 줄은 몰랐는데. 그 폭탄은 트리어로 만든 건가?"

멀쩡히 서 있었지만, 효과가 없을 리 없다.

"그래. 아르랑 베가의 힘을 좀 빌렸거든."

그 말과 동시에 이새롬은 다시 폭탄을 날리기 시작했다.

"재미있군. 역시 세계에서 알아주는 박사다워."

윤성재 소장도 공격을 재개했다.

"이새롬! 아르 위에 타!"

윤성재 소장의 폭탄과 총알을 피하기엔 이새롬 혼자로는 역부족이다. 일단 베가를 주력으로 한다.

"베가! 다리야!"

아까 소장이 휘청거리는 걸 분명 보았다. 이번 공격으로 움직이기 어려워질 거다. 이때 이새롬이 아르에서 뛰어내리며 시야를 차단했다.

"너, 고글은 제대로 썼겠지?"

"당연한 걸 왜 물어? 아르, 베가!"

아르가 베가의 몸을 둘러쌌다. 아르는 몸에 불을 띄웠고, 베가는 뛰어올라 소장에게로 굴렀다.

한순간 귀가 먹은 것 같았다. 시각과 청각이 돌아오기까지 얼마나 지났을까, 소장이 쓰러져 있는 것을 목격했다.

3. ∞

적막도 잠시, 소장이 기괴해 보일 정도로 웃기 시작했다.

"하하… 젊은이들은 못 당하겠군"

"그래, 베가는 정말 위대해…"

"너… 아까 피할 수 있었지. 근데 왜 가만히 있었던 거지?"

내 질문에 이새롬이 눈을 크게 뜨고 내게 되물었다.

"무슨 소리야? 그럴 타이밍이 언제 있었다고?"

"윤성재, 베가라서 피하지 않은 거야?"

"너희는 이 세상이 기괴하다고 생각해 본 적 없나?"

윤성재가 뜬금없는 말을 하기 시작했다.

"언젠가부터 트리어라는 존재가 세상에 등장하기 시작했지. 인간이라면 자기의 반려 트리어가 있기 마련이야. 5살이 되면 어느 날 나타나니까"

"트리어의 에너지원에 대해선 다 알고 있겠지."

"지금 무슨 말을 하고 싶은 거지?"

"사랑."

"어릴 적 받은 사랑에서 트리어들은 태어나. 사랑으로 태어나는 평생의 반려자, 정말 낭만적이지."

"반대로 말하면 어릴 적 사랑을 못 받은 사람은 트리어가 없어. 트리어가 없다는 건, 이 세상에서 살아가선 안 된다는 의미야. 사람들은 트리어가 없는 걸 괴물 보듯이 봐."

"누군가의 결핍이 남들에겐 참 기꺼운가 봐."

"이상하지 않아? 트리어가 없는 사람들은 어릴 때 사랑받지 못한 사람들이라고 했잖아."

"그런데, 앞으로도 평생 사랑받긴 틀린 거야. 트리어가 없다는 이유로."

"한 번 사랑받지 못한 사람은 평생 사랑받지 못하는 세상이 올바르다고 생각해? 난 아니야, 그래서 그냥 트리어를 없애버리려고 했어."

"아예 존재하지 않으면 되는 거잖아?"

말이 쉽사리 나오지 않았다.

"이 미친놈이…"

이새롬이 읊조렸다.

"내 본명이 뭔지 알아? 밤이야. 까만 밤. 태어나자마자 날 버린 부모가 이름도 안 지어줘서 어떤 노숙자 할아버지가 지어줬어. 밤에 두고 갔거든."

"애초에 난 빛날 수가 없는 거야."

이 말과 함께 옷 안쪽에서 무언가 꺼내려 했다.

"아!"

윤성재가 총을 머리에 갖다 대는 순간, 베가가 명령도 없이 튀어나갔다.

적막 속 총이 바닥에 떨어지는 소리만 울렸다.

-

초등학교 입학식 날에는 혼자 있는 날 보고 수군거렸다. 학교에 간다고 제대로 들떠있던 난,

"우리 아들은 저런 애랑은 친구 하면 안 돼요."

"엄마! 쟤는 왜 트리어가 없어요?"

"쉿… 조금만 조용히 말하자."

센터에서 한참을 울었다.

-

나는 3월이 지나가고, 4월이 지나가도 친구를 단 한 명도 만들지 못했다.

내가 더 노력했다면, 친구를 만들 수 있었을까?

잘 모르겠다.

-

어느 날은 추운 겨울날이었다. 학교에서 돌아오는 길에, 눈이 참 많이 내렸다.

"야. 트리어도 없는 놈."

"그만해."

"뭐 어떻게 잘못 태어나면 트리어도 없냐?"

"그만하라고 했어."

"트리어도 없고, 부모님도 안 계시고."

나는 그 소리엔 참지 못하고 일어나서 한 대 쳤다.

물론 밥도 잘 먹지 못했던 난 그 애들의 상대도 되지 못했다.

딱 죽기 전까지 처맞았던 거 같다.

그날 시설 센터장님이 학교에 오셔서 연신 사과하시는 모습을 보고 알았다.

나는 지금 여기에서 아무것도 할 수 없다.

—

센터장님께선 내가 학교를 그만두게 하고, 집에서 기본적인 교육을 해주셨다. 센터의 형, 누나들도 날 참 많이 도와주셨다. 고등학교에 가기 전까진 그렇게 지냈다.

고등학교에 갈 나이가 되자 센터장님은 정말 멀리 있는 학교에 날 진학시키셨다. 내 머리가 아깝다고, 꼭 훌륭한 사람이 될 수 있을 거라며…

강제로 그러신 것은 아니고, 나도 고등학교에 가고 싶다고 했다. 다만, 이름은 바꾸고.

난 그때부터 윤 성재(成才)가 되었다.

반인륜적인 행위고, 매우 드물지만, 트리어들을 유기하는 사람들이 있다. 트리어의 능력이 마음에 들지 않아서라던가, 외관이 마음에 들지 않아서라던가.

트리어 보호 센터에 찾아가 한 마리를 입양했다. 사람들 사이에 섞이기 위해서.

난 그날을 기점으로 다른 사람이 되었다.

 -

고등학교에 다니면서 1등을 놓쳐본 적이 없었다. 누군가 얘기한 적이 있다.
"네가 부럽다."라고.
그때 무슨 생각을 했더라.

잘 모르겠다.

 -

머리가 좋다는 걸 잘 알았다. 그래서 생각했다.
나라면 트리어를 없앨 수도 있겠다고.
고등학교를 졸업하고 나이를 먹어갈수록 '윤성재'와 이 연구에 집착하게 되었다.

 -

[A5]하루의 잔상_개문동.hwp

사람들을 속이고 나에게도 몇 번이나 거짓말하며 윤성재로 살아왔다.

—

　윤성재의 눈을 감은 모습이 보였다.

　"트리어는 한 번도 인간에게 폐를 끼친 적이 없어."
　"알아? 자신의 삶을 약속하고 따라."
　희미하게 얼굴을 핥는 소리가 들렸다.
　"트리어가 있으면 이 차별은 없어지지 않아"
　윤성재는 갈라지는 목소리로 외쳤다.
　"윤성재."
　"나도 트리어가 없어."
　"대신 난 아이들에게 트리어를 보급할 연구를 하고 있어."
　"트리어가 무슨 죄가 있어? 생명을 그렇게 쉽게 죽여도 돼?"
　이새롬이 격분한 목소리로 소리쳤다.
　이새롬은 트리어가 없다. 전쟁으로 4살에 부모님을 잃고 6살에 센터에 들어왔다. 그전까지는 전장을 떠돌아다녔다.
　"너, 우리 연구를 도와. 그리고 벌을 받아."
　"아… 베가, 정말 따뜻한 사람들과 잘 컸구나."
　"이 못난이는 잊지 않은 거니?"
　"지금까지 뭘 한 걸까, 베가?…"
　건물엔 윤성재의 흐느끼는 소리만 울릴 뿐이었다.

"저희 사랑이 도와주셔서 정말 감사합니다. 이번에 저희 센터에 애들이 많이 들어와서 지원금이 부족했는데… 정말 감사합니다"

"아이고 아닙니다. 저희가 해야 할 일을 하는 것뿐이에요."

"그럼요. 아이들은 사랑받아 마땅합니다."

새롬이와 눈을 마주쳤다. 눈동자에 비친 나는 활짝 웃고 있었다.

"아저씨도 한 말씀 하세요."

이새롬이 윤성재를 떠밀었다.

"제가 과거에 죄를 지었기에… 이걸로 뉘우칠 수는 없겠지만… 도움이 되기를 바랄 뿐입니다."

"저희 사랑이에겐 정말 큰 도움이 될 겁니다. 정말 감사합니다."

"아저씨, 울어요?"

이새롬이 놀라며 쳐다봤다.

"아저씨 용서받았다고 생각하진 마세요."

"그렇지만, 지금은 조금은 빛나시는 것 같아요."

저에게 빛을 가르쳐주신 분들 감사합니다.
그렇지만 저는 빛날 수 없습니다.

저는 지금 심판을 기다리고 있습니다.
마지막으로,
별들을 안고 사는 강한울과 새로운 길로 인도해 준 이새롬에게 정
말 감사합니다.

그리고 정말 죄송합니다.

삶 중 꿈

삶이 반복되던 찰나, 믿을 수 없는, 아니, 믿기 싫은 일이 일어났다. 나는 말을 타고 있다.

아니, 페가수스를 타고 있다. 몇 분 전을 돌아보면, 도깨비처럼 보이는 흉측한 무언가가 불을 던지고 뿜으며 내 마구간을 태우며 말들을 씹어먹고 있었다. 그 모습을 보며 말들을 잃었다는 생각에 울부짖지도 못하고 움직이지도 못하며 그저 쳐다만 보고 있을 때, 평화롭게 풀을 뜯어 먹고 있는 날개 달린 말을 발견했다.

날개가 달려 있었지만, 그 말은 분명 내 마구간에서 가장 오래된 말인 리오르였다. 리오르의 화려함에 사로잡힌 그때, 불길한 시선이 뒤에서 느껴졌다. 바로 뒤를 돌아본 나는 말의 피로 범벅이 된 입을 보았다. 시선을 조금 올리자 녀석의 푸른 눈과 눈이 맞았다. 녀석은 재미있다는 듯 환하게 웃으며 빠른 속도로 나를 향해서 달려오기 시작했다. 절망적이었다. 더 이상, 내게는 선택지가 없었다. 될 대로 되라는 심정으로 나는 리오르 위에 올라탔다. 그리고 눈을 감고 기도했다. 전설의 페가수스처럼 리오르가 날아가기를. 그 순간, 몸이 붕 뜨는 기분이 들었고, 눈을 떠보니 마구간 주변의 산들이 한눈에 담겼다…. 그 광경은 참혹했다. 온 세상이 불에 타는 것처럼 보였다. 소름이 끼쳤다….

"리오르… 지금 당장 어디로든 좋으니 멀리 이동해줘…"

이 참혹한 모습을 보기에는 내 정신이 못 버틸 것 같았다.

페가수스 비스무리한 것이 되면서 말을 알아들을 수 있게 된 것일까. 나의 말이 끝나자마자 리오르는 북서쪽으로 이동하기 시작하였다.

2시간쯤 이동하였을까.

예상치 못한 상황이 찾아왔다.

나는 주변 산을 보며 리오르가 북서쪽으로 간다는 것을 알아차렸지만, 목적지가 어디인지는 알지 못했다. 아니, 생각할 정신이 없었다. 이제 막 정신을 다잡은 내가 여기서 알 수 있었던 것은 리오르가 방향을 거의 틀지 않고 나아갔다는 것이었다. 그리고 리오르의 속도가 자동차와 비슷하다고 느껴졌다는 것이며 마지막으로 위 두 조건이 모두 충족한다면 강원도에서 출발해서 2~3시간 정도 이동했으니 지금 내 위치는 북한 한가운데일 것이라는 것이다.

많은 생각이 머리에 스쳐 지나갔다. 다 하나같이 끔찍한 결말이었다. 허망해하며 정신 줄을 반쯤 놓고 있을 때 갑자기 리오르가 하강하기 시작했다.

"잠깐만 리오르 내려가지마 리오르!!"

결국, 땅을 밟아버렸다. 죽기 전까지 밟지 못하리라 생각했던 땅을 밟아버렸다…. 이 상황에 절망하고 있던 그때,

생전 들어 본 적 없는 괴상한 울음소리가 의문의 숲에서 들려왔다.

나는 리오르가 나의 말을 알아듣는다고 생각하여 숲속으로 들어가지 말자고 주절주절 대었다.

내가 말을 끝냈을 때 리오르는 이미 숲으로 들어가기 직전이었다.

내 말을 알아듣는 건지, 아니 애초에 리오르가 맞기는 한 건지 의문이 한둘이 아녔다.

결국, 우리는 숲속으로 들어가게 되었고, 점점 누구의 비명인지 울음소리인지 모를 무언가가 더 크게 들렸다. 우리는 점점 더 숲 깊숙이 들어가자 결국 그 울음소리의 주인과 마주해 버렸다.

몸통은 사자, 머리는 독수리. 날개도 달려 있고, 날카로운 발톱. 내 눈앞에 있는 것은 틀림없이 그리핀의 모습이었다. 녀석은 이상하게도 날뛰며 괴성을 지르고 있었다.

"이봐…."

갑자기 어떤 여자의 목소리가 들렸다. 뒤를 돌아보니 상처를 입고 40대 중반처럼 보이며 연구원들이 입을 것 같은 옷을 입은 이국적인 생김새의 여성이 있었다.

"저기 괜찮으세요?"

여성이 놀란 표정을 지으며 뒤를 돌라는 동작을 취했다. 그걸 보고 뒤를 돌자, 그리핀의 날카로운 발톱이 나를 향해 날아오고 있었다.

녀석의 발톱이 내 몸에 닿으려는 순간, 리오르가 그리핀의 몸통을 발로 차며 저지하였다. 심장이 떨어지는 기분이었다. 여성은 나에게 그리핀이 장산범과 혈투를 벌여서 흥분해 날뛰고 있는 것이라는 이상한 말을 전해주었다. 무슨 말인지는 모르겠지만 그 말을 듣고 다시 그리핀을 보니 몸의 곳곳에 상처가 있었다. 나는 다시 뭘 해야 할지 모르겠다는 눈치로 여성을 보았다가 여성은 그런 나를 보며 그리핀을 진정시켜 주라고 부탁하였다. 하지만 난 말만 다룰 줄 알지, 저런 괴물은 살면서 본 적도 없고 해낼 자신도 물론 없었다.

[A5]하루의 잔상_개문동.hwp

그래서 소심히 못 하겠다고 하자, 여성은 생색내지 말라고 오히려 화를 내며 내 옆에 있는 페가수스는 뭐냐며 따지고 들었다. 그래서 그냥 제 마구간의 말이 갑자기 변해 버린 것이라고 하니, 여성은 당황해하며 지금 당장 위험하니 숲을 빠져나가라고 소리쳤다. 나도 그러고 싶었지만, 너무 무섭고 두려워 발이 떨어지지 않았다. 벌벌 떨며 많은 생각이 들었다.

선택의 시간이 왔다.

나는 녀석을 진정시키는 것을 선택했다. 말도 안 된다는 생각이 계속하여 머리를 스쳐 지나갔지만, 한번 시도는 하고 죽어야 하겠다는 생각이 더 많이 들었다. 놈은 나를 상당히 경계하고 있다는 느낌이 강하게 들었다. 어떻게 해야 할지 도무지 감이 잡히지 않았다. 아니, 잡힐 리가 없었다. 어쩌면 리오르는 페가수스가 되고 내 말을 부분적으로 이해하는 것으로 보였기에 저놈에게도 해당할지는 모르겠지만, 밑져야 본전이라는 생각으로 녀석과 대화를 해보기로 마음먹었다.

나는 최대한 진지하고 차분한 눈빛을 하며 녀석에게 말을 걸었다.

"그… 그리핀 가만히 가만히 있어 줘…. 부탁이야."

나는 이 말을 한 뒤에 그리핀 쪽으로 다가갔고 뒤따라오는 리오르를 따라오지 말라고 말렸다. 앞에 도착하자 독수리와 사자가 섞여서 만들어진 그리핀에게 위압감이 들며 위축되었다. 그리핀은 앞발을 높이 치켜들었고 나는 이제 죽는구나, 라고 생각했다. 그러나 갑자기, 따뜻하고 푹신한 털이 나를 감쌌다. 그리핀이 나를 꼭 껴안았다.

"사…. 살았다…."

이번에는 진짜 죽는 줄 알았다. 그리핀은 나를 안은 뒤 아까와는 정말 다른 모습을 보여주었다.

그리핀의 푹신한 털에 빠져있을 때, 순간 다쳐 있던 여성이 떠올랐다. 나는 여성에게 달려가 괜찮냐고 물어보는데, 여성은 생뚱맞게 나에게 정말 대단하다고 계속하여 칭찬을 해주었다. 그 뒤 여성은 다리 뼈가 부러져서 움직이지 못한다고 말하며 자신을 그리핀의 등까지 부축을 해주라고 부탁하였고, 나는 그녀가 그리핀에게 갈 수 있도록 도왔다. 그리핀은 당연하다는 듯이 자신의 등을 내어주었다. 그리핀의 등에 올라탄 여성은 자신의 연구소로 함께 가는 것이 어떠냐고 물었는데, 곧 밤이 오기도 하고 북한에서 나 혼자 할 수 있는 것은 없다고 생각했기에 그녀의 연구소에 신세를 지기로 했다.

나와 여자는 각각 리오르와 그리핀을 타고 숲을 지나서 매우 큰 바위 절벽을 마주하게 되었고, 우리는 절벽 중간에 있는 비밀통로를 이용하여 여자의 연구소에 들어왔다.

연구소에 들어가자마자 신기한 물건과 내부가 나를 반겼다. 내가 놀랍다는 표정으로 주변을 둘러볼 때 여성은 나에게 이름을 물어보았고, 나는 내 이름을 '김건우'라고 소개하며 여성의 이름을 물어보았다. 여성은 자신을 '리사'라고 소개하며 이 연구소의 유일한 박사와 그리핀의 주인이라고도 소개하였다. 내가 '역시 박사님이셨구나.'라고 생각하는 찰나에 박사님은 나에게 영어를 매우 잘한다고 칭찬하셨다. 내가 그런 영어 실력을 갖추지 못했다면 조금 전 문제를 해결하는 데 큰 어려움이 있었을 것이라는 말을 덧붙이셨다.

이 말에 나는 이상함을 느끼고, 박사님에게 저는 한국어로만 이야기하고 있다고 이야기하자마자 박사님은 얼굴을 찌푸리며 이것도 현상에 관련된 것이냐고 혼잣말하셨다. 그래서 박사님께 현상이라는 것이 무엇이고 지금 벌어지고 있는 이 상황은 무엇인지 물었다. 박사님은 나에게 몇 시간 전부터 '너도 이상 현상을 경험했겠지.'라고 하며 이 상황에 대한 설명을 시작하였다. 박사님의 말에 따르면 10년 전 박사님을 포함한 여러 박사들은 화석연료를 대체할 미지의 에너지원을 찾

[A5]하루의 잔상_개문동.hwp

앉다고 발표했었는데 그 에너지원은 공룡 지층에 함께 묻혀있던 환상의 물질들의 신비하고 특별한 힘이었다. 박사님들이 그 에너지를 발견한 계기는, 스스로 말하시길, 그저 흔한 유럽의 공룡 탐사에서 거대한 용 형상의 화석을 발견하였고, 약 30분 뒤 그 화석은 구약성서에 등장하는 바다 괴물인 레비아탄의 모습으로 변하였다는 것이었다.

레비아탄의 모습을 한 그것은 막대한 양의 에너지를 품고 있었고, 박사님들은 레비아탄의 모습을 한 그것을 격리하는 것에 성공하였으며, 레비아탄의 모습을 한 그것을 보이는 대로 '레비아탄'이라 부르기로 결정하고, 레비아탄이 품고 있는 에너지를 추출할 방법을 5년 동안의 실험과 모의실험을 거치며 알아내었다. 그 뒤, 그리펜, 유령고래, 유니콘, 금혈어, 장산범이 차례로 발견되며 그것들을 통틀어서 'fantastic creatures'의 약자인 f.c로 부르기로 했으며 f.c들이 가진 에너지를 'f.c에너지'라고 부르기로 했었다고 하셨다.

그 말을 들으며 나는 '공룡시대에 환상의 동물이 살았다고 해도 어떻게 지금 현대에 생각하는 동물들과 같을 수 있을까?'라는 의문이 강하게 들었다. 나는 이 생각을 박사님에게 물었고, 박사님을 나에게 좋은 질문이라며 찌푸리던 얼굴을 피고 은은하게 웃어 보였다. 박사님은 자신과 다른 박사들도 공룡시대의 f.c들이 같은 형체였을 것이라고 생각하지 않는다며 f.c에게서 나오는 에너지를 사용하는 방법 외에는 완전히 미지의 에너지기 때문에 연구원과 박사님들도 정확하게 알아내지는 못하였지만 가장 가능성 있는 가설로 세운 것이 땅에 묻혀있는 상태에서도 지금 시대에서 가장 발전된 뇌를 가지고 있는 인간의 뇌파를 읽어가며 모습을 변화한다는 것이라고 하였다. 박사님은 그에 대한 근거로 발굴된 모든 f.c들은 모두 그 지역에 있는 유명한 환상의 동물의 모형으로 나타났다고 하였다. 박사님의 말에 나는 일리가 있다고 생각하며 수긍했다.

박사님은 이야기를 계속하며 방금 말한 f.c들은 각 나라당 하나씩 배정받았고 그리핀은 자신과 함께 북한에 보내졌다고 말했다. 그리고 아까 그리핀과 싸운 장산범은 한국에서 맞고 있던 f.c였는데 여기까지 올라와서 그리핀과 만난 것을 보니 리오르도 그리핀을 찾아온 것 같다고 말씀하셨다.

　　그 뒤, 내가 이곳에 오기 전에 도깨비 무리를 보았다고 말씀드리니 그건 아마 일본에서 일어난 에너지 폭발로 인해 화석 상태에서 깨어나거나 새로 만들어진 에너지가 많지 않은 f.c일 것이라고 이야기해주시며 너의 말이 페가수스로 변한 건 에너지 폭발의 힘을 많이 받아서인 것 같다고 이야기하셨다.

　　말씀이 끝나자마자 나는 박사님에게 에너지 폭발이 무엇인지, 그 폭발 때문에 이런 일이 생긴 것인지, 폭발적으로 계속하여 질문하였다.

　　그러자 박사님은 차분하지만, 허탈한 표정으로 나의 질문에 대답하셨다.

　　"어제 일어난 일인데, 우리는 f.c로부터 나온 에너지로 f.c의 에너지를 찾을 수 있는 기기를 만들었어. 그리고 그 기기로 f.c를 찾고 있을 때 일본 후지산에서 이제까지는 볼 수 없었던 대량의 f.c의 에너지를 발견했지. 그 중심에는 어떠한 새 형상이 있었어. 그래서 우리 연구원들은 많은 협의 끝에 그 에너지를 채굴해 내기로 하고, 에너지를 뽑아내고 저장할 장치까지 오랜 시간 동안 준비했어. 무조건 성공일 것으로 생각했지만, 결과는 매우 다량의 f.c 에너지가 폭발하듯이 전 세계로 퍼져나갔어. 그리고 그 에너지의 중심에 있던 새 형상의 f.c도 격리시키지 못하였어…."

　　박사님은 이 결과에 대해선 자책하며 나에게 미안해하셨다. 나는 박사님에게 너무 낙심하지 마시라고 하고 내가 도움이 되는 일이 있다

　　　　　　　　　　　　　　[A5]하루의 잔상_개문동.hwp

면 도움을 주고 싶다는 의사를 전달하였다. 그러자 박사님은 자신은 일본으로 가서 이 사건을 해결할 것이라고 하며 내가 도움을 준다는 말에는 말만이라도 고맙다며, 아무 관련 없는 사람을 위험에 처하게 만들 수 없다고 하셨다.

　나는 꼭 가야 한다며 우기고 또 우겼다. 결국, 박사님의 의견을 꺾고 일본 여정에 함께하기로 하였다.

[3개월 후]

나는 3개월 동안 많은 일을 겪으며 이 이상해진 세상에서 적응해 나갔다. 물론 처음에는 마구간이 그리워지는, 힘든 시간이었지만 옆에 남아있는 유일한 내 친구 리오르가 나를 지탱해 주었다. 나는 리오르가 상당히 많은 f.c 에너지를 가지고 있다는 것을 알게 되었고, 이를 통해 마법이라고 말할 법한 모습으로 방출해 낼 수 있다는 것을 박사님의 연구를 통해서 알게 되었다. 리오르와 f.c에너지를 방출하는 연습도 착실하게 하여 꽤 도움이 될 만한 모습을 연출할 수 있게 되었다.

나는 신나는 말투로 박사님에게 세상을 되돌려 보자고 말하였다. 박사님은 그러한 말을 하는 나에게 경거망동하지 말라며 나를 질타하셨다. 나는 그런 박사님에게 그냥 하는 말인데 잔소리를 꼭 해야겠냐며 짜증을 냈다.

그 뒤로도 나와 리사 박사님은 여러 번 투닥거린 뒤 일본으로 출발하였다.

기분 좋게 동해의 하늘을 지나고 있었는데, 갑자기 거대한 시뻘건 거대한 산이 보였다. 갑자기 산이 보이는 것에 박사님은 충격으로 반쯤 정신이 나간 것처럼 보였다. 물론, 나는 이 상황을 예상하기는 했다.

박사님이 연구소에서 자료 정리와 조사를 하며 3개월을 보내시는 동안, 나는 리오르와 함께 여러 곳을 돌아다니며 실전 경험을 쌓아갔다. 그러면서 다른 사람이 보면 미쳤다고 할 만한 이상 현상들을 매우 많이 경험했기 때문이었다.
그렇기에 이 문제의 시초인 저 망할 놈의 산이 멀쩡한 상태로 보일

　　　　　　　　　　　[A5]하루의 잔상_개문동.hwp

것이라고는 생각을 안 했다. 그렇기에 뭐 그럴 수도 있지, 라는 생각을 하며 다시 박사님을 보았는데 다시 안색을 찾고 멀쩡한 완전히 평온한 모습이었다.

'난 적응하는 데 1개월은 걸렸던 것 같은데 3초 만에 적응하시다니 괜히 박사가 아니긴 하네.'

이런 생각을 마칠 때쯤 갑자기 먹구름이 끼더니 무언가 물에서 올라오는 소리가 들리며 푸른 빛깔의 청룡이 나타났다. 청룡이 나타나자마자 갑자기 중력의 2배 아니 3배 정도의 중압감이 나를 눌렀고, 점점 심해져서 몸을 자유자재로 움직이기 힘들 정도였다.

"f.c 에너지의 방출이 이렇게나 강할 수 있다니…."

박사님의 말에 나는 충격을 받았다. f.c 에너지를 변환하여 방출한 것도 아닌 이런 비효율적인 방출만으로 이러한 위력이라니. 박사님의 말이 사실이라면 지금 우리의 목숨줄은 저 청룡에게 달려 있다고 해도 무방하다는 생각이 들었다.

"그대들은 나의 신라의 후손인가."

청룡이 꺼낸 첫 말이었다.
멸망한 지 한참이나 지난 신라를 찾다니 이게 무슨 말인가. 그것도 인간도 아닌 청룡의 입에서.
옆을 돌아 박사님을 보니 상당히 침착해 보였다. 이런 상황에 침착하다니 '저게 사람이 맞나'라는 의문이 생겨날 때쯤,

"먼저 위대한 문무왕께 인사드립니다."

"그 한마디로 내가 누구인지 추측해 내다니 꽤 영특한 아이로구나."

"그래서 지금은 내가 죽은 지 몇 년이 지났고 지금 신라는 어떻느냐."

"전하 신라는 전하가 승하하신 뒤로 약 250년 뒤 멸망하였습니다."

"뭐라, 이 미천한 놈이 내가 칭찬을 좀 해주었다고 신라의 멸망을 입에 담는다는 말이냐?"

"전하 모든 나라는 흥과 쇄가 있는 것이 세상의 이치이옵니다. 지금은 전하가 승하하신 지 약 1300년이 지나 그 시간 동안 전하의 신라의 땅은 고려라는 나라와 조선이라는 나라, 그리고 왜구에서 땅을 빼앗겼다가 되찾으며 지금 대한민국이라는 국가가 돼 있었사오나, 약 3달 전의 일로 사실상 대한민국이라는 나라는 붕괴하였고, 이상한 괴물들에게 점령당했나이다. 제 옆에 이놈은 대한민국의 백성이며, 저와 함께 신라의 후대 국가인 대한민국과 세계를 위협하는 이 현상을 해결하기 위해 함께 외국으로 가는 중입니다. 부디 길을 막지 말아 주십시오."

"음, 내가 눈을 뜬 것도 한 3개월 전쯤이니 얼추 비슷하구나. 그래, 네가 그 대한민국이라는 나라의 백성이라는 것이지."

"ㄴ…. 네, 그러하옵니다. 전하. 전하의 후손이 세계를 구하고 싶사옵니다. 부디 길을 비켜주소서."

"미안하지만 그럴 수는 없을 듯하구나."

"에…. 예?"

"너희들의 모습은 지금 너무 허접하도다. 내 뒤에 있는 왜놈들의 땅에 있는 그것을 너희는 감당할 수 없을 것이야. 아마 저 산꼭대기에 올라가지도 못하고 죽을 것이다."

"그러면 저희가 어떻게 하면 좋을까요?"

"저 산꼭대기에 있는 것이 계속해서 괴이한 힘을 방출하는구나. 짐도 저놈에 비하면 볼품없는 수준이야. 너희가 신라의 마지막 희망이라면 더욱이 저곳에만큼은 가서는 안 되지. 일단 위쪽, 위쪽이 저놈의 영향을 덜 받는 것 같구나. 그나마 안전할 것이야. 일단 위로 올라가 힘을 조금 더 길러서 후일을 도모하거라."

"알겠습니다. 전하 좋은 조언 감사합니다."

"혹시, 전하 물어볼 것이 있는데 눈을 뜨신 이후로 이상한 일은 없으셨는지요?"

"흠…… 딱히 별일이 아닌 것처럼 느껴져 왔는데 요즘 점점 내가 누구인지 까먹는 것 같구나."

"기억에 문제가 있으시다는 말씀인지요?"

"그래. 기억이 점점 사라지는 것 같구나. 처음 눈을 뜰 때는 삼국 통일이 어제처럼 훤했는데 지금은 그때 있었던 주요 전쟁 빼고는 기억이 잘 나지 않는구나."

"아마 저놈의 영향을 나도 받는 거지. 아니 너희의 말을 들으면 애초부터 난 저놈 때문에 눈을 뜬 것이겠구나."

"……"

"나의 역린의 비늘을 가져가거라."

"너희는 내가 말한 것처럼 너무 허약하다. 기왕이면 역린이 아닌 비늘을 주고 싶지만, 너희에게는 떼어주고 싶어도 떼어줄 수가 없노라. 그렇기에 너희가 유일하게 나의 비늘을 가져갈 방법은 역린의 뒤집힌 비늘을 가져가는 방법뿐이니라."

"하지만 그렇게 되면 전하께서 큰 해를 입을 것입니다."

"나이를 조금 먹은 여성 같아서 똑똑한 줄만 알았건만 그건 또 아니군."

"난 조금 뒤면 기억을 잃고 그저 미쳐 날뛰는 흔한 용이 될 것이니라. 그때 짐이 너희의 짐 덩어리가 될 수는 없지 않으냐."

나와 박사님은 문무왕의 말을 듣고 청룡의 모습을 한 문무왕에게 다가가 역린의 비늘을 뽑았다. 역린의 비늘을 뽑자마자 청룡의 모습을 한 문무왕이 작은 고통의 신음을 내며 바닷속으로 떨어졌다. 청룡이 사라지자 언제 그랬냐는 듯 날씨가 환해졌다. 그 뒤 나는 박사님에게 저 청룡이 어떻게 신라의 문무왕인 줄 아셨는지 물었는데, 박사님은 문무왕이 신라를 통일하고 죽기 직전 신라를 걱정하여 자신이 동해의 청룡이 되어 신라를 지킬 것이니 물속에 무덤을 만들라는 유언을 남기셨다고 하셨다. 나는 그 말을 듣고 문무왕이 우리를 보자마자 신라에 대한 물어본 것을 이해했다.

청룡에게서 뽑은 역린의 비늘을 보았는데, 영롱하고 푸른 모습이 정말 아름다웠다. 감상도 잠시, 나는 왜 문무왕이 죽음을 각오하면서까지 역린의 비늘을 우리에게 주었는지 궁금하여 박사님에게 이유를 물어보았다. 그러자 박사님은 용의 비늘은 정말 단단하기에 후지산의 저 녀석을 잡는 데 조금이라도 도움이 되기 위해 준 것이라 말하며 성분 분석을 위해 잠시 동해 해변에 내려가자고 말씀하셨다.

동해 해변에 내려온 뒤 박사님은 성분 분석을 시작하셨는데 꽤 오래 걸릴 것만 같았던 분석이 3시간 만에 끝났다. 나는 박사님에게 어떠한 결과가 나왔냐고 물어보았는데 박사님은 성분 분석이 불가하다고 말씀하시며 이 비늘의 경도(硬度)가 다이아몬드의 3만 배라고 말씀하셨다. 그 말을 들은 나는 한동안 아무 말도 못 하고 멍하게 서 있다, 처음 든 생각이 '문무왕이 자신을 희생하며 줄 만하다.'라는 것이었다.

그 뒤 나는 박사님에게 이제 일본을 가지 못하니 어떻게 할 것이냐고 물었다.

그에 대해 박사님은 덤덤히 말씀하셨다.

"뭐… 예전부터 일본에 못 가면 실행하려고 한 플랜 B는 만들어 놓았긴 해."

"어쨌든 준비했으니까 그냥 들어. 지금 현상에는 f.c들이 갑자기 많이 생겨나고 폭주하며 말 그대로의 이상 현상도 나타나고 있는데, 모든 f.c에 대한 정보를 총괄하는 박사가 유럽에 있어. 한마디로 박사들 중에서 각 나라별 환상의 동물과 이상 현상들에 대해서 가장 잘 아는 박사라는 것이지. 난 이 박사를 찾아가 도움을 요청할 생각이야."

나는 박사님께 좋은 생각이라고 말하며, 방금 문무왕이 말한 것처럼 다시 후지산에 가기로 마음먹고 돌아올 때는 꼭 이 상황을 해결해 내어 세계의 모든 사람이 일상을 되찾게 하겠다고 다짐하며 오늘 밤을 보낼 임시 캠프를 만들었다. 잠에 들기 직전, 박사님에게 이렇게 무방비하게 잠을 자도 되는지 물었지만, 박사님은 청룡의 f.c에너지 방출 덕분에 일주일 동안은 아무 f.c접근이 없을 것이라며 얼른 잠이나 자라고 하셨다.

분명 조금 눈을 감았다 뜬 것 같은데 이상하게도 해가 떠 있었다. 나는 비몽사몽 일어났고 박사님은 벌써 떠날 준비를 다 해 놓은 것처럼 보였다. 나도 빠르게 준비하였고 내가 일어난 지 30분 뒤 우리는 유럽을 향해 비행을 시작했다.

"박사님 근데 혹시 그 여러 가지 지식을 가지고 있다는 박사님은 유럽 어디에 사시나요?"

1시간 동안 날다가 처음 든 궁금증이었다.

"음, 그 녀석은 그리스, 그래, 그리스에서 살았어. 전에 자기는 f.c정보 총괄 박사라 낭만의 도시 그리스에서 파견 같은 건 안 가고 편안하게 살 거라고, 볼 때마다 다른, 파견 예약된 박사들을 놀리고 있었는데. 내가 북한으로 파견되고는 전화가 될 때마다 놀렸었지. 다시 생각해도 짜증 나는구나."

우리는 그리스까지 여러 수다를 떨며 순조롭게 나아갔다. 한반도나

[A5]하루의 잔상_개문동.hwp

동해에서처럼 우리의 신변에 위협이 되는 일뿐만 아니라 그저 사소한 어떤 일도 일어나지 않았다. 우리는 정말 문무왕의 말대로 북쪽은 힘의 전파가 덜 되었다며 그리스로 계속 나갔다. 하루하고 조금 더 날아간 뒤 우리는 그리스에 도착했다. 그곳에서 f.c 총괄 박사께서 사신다는 건물을 찾아 들어갔다.

"리사 이모, 여긴 어떻게?"

내 눈 앞에 펼쳐진 f.c 총괄 박사는 나와 나이가 비슷하거나 약간 어려 보이는 아가씨였다.
리사 박사님은 어린 박사를 보자마자 꿀밤을 먹였다.
박사님의 꿀밤을 시작으로 두 박사님은 싸우기 시작하여 물건을 집어 던지는 경지에 이르렀다.

난 둘을 진정시키며 박사라고 불리기에는 너무 어려 보이는 f.c 총괄 박사의 소개를 부탁하였다. 그러자 리사 박사님은 '올리브'라고 이름을 전해주며 올리브 박사에게 나에 대한 소개를 하셨다. 그러자 올리브 박사는 박사님이 무색무취한 아이를 데리고 다닐 리 없다며 무슨 재능이 있는지 박사님께 물었고, 박사님은 웃으며 내가 페가수스를 매우 잘 다루고 페가수스의 f.c 에너지까지 다룰 수 있다는 것을 설명했다. 그 설명을 들은 올리브 박사는 놀란 표정으로 나를 보며 어떻게 그것이 가능한지 물었다. 당황한 난 횡설수설하며 이제까지의 일들을 설명했다. 모든 설명을 들은 올리브 박사는 나와 리오르를 번갈아 보면서 계속하여 감탄하였다. 내가 호들갑 떠는 것 아니냐고 물어보니 두 명의 박사가 동시에 아니라고 외치며 세상에 한 번 있을까 말까 한 일이라고 하였다. 그러면서 올리브 박사는 나의 능력이 후지산의 살고 있는 불사조를 상대할 해결 방안이 될 수도 있을 것이라는 말을 하였고, 그 말을 들은 나와 박사님은 올리브 박사에게 그게 무슨 소리인지 물었다. 그러자 올리브 박사는 덤덤히 우리의 질문에 대답하였다.

"일본에서의 f.c는 새 형상을 하고 있고 주변에는 대량의 f.c에너지가 존재해. 이것으로 보면 일본열도 밑에 묻혔던 f.c가 불사조로 변형되고 그 불사조는 화석으로 잠드는 것이 아닌 계속 살아있다는 거지. 그리고 에너지를 무한으로 방출하고, 에너지를 잃고 부활하고를 반복하여 땅속에는 상상하기도 힘들 만한 에너지가 쌓였을 것 같은데."

"일본의 에너지가 많기는 했지만, 그 정도는 아니었다고. 이런 세계 멸망 급의 에너지라니…. 절대 그 정도는 아니었어."

리사 박사님이 말도 안 된다며 항의했다.

"뭐 너무 많은 에너지에 노출된 기계 오류겠지."

"이제까지 그런 오류는 없었어! 말이 안 된다고. 지금까지 수천 번의 예상 실험과 수백 번의 실전 경험이 이를 뒷받침하고 있고 말이야."

"애초부터 이 상황이 오류지 않냐? 우리 박사들도 오류가 나는데 고작 기계가 오류가 안 나는 게 이상하지."

"…그래 넌 뭐 확실한 해결 방법은 생각해 봤니?"

"원래는 미래가 없으니 언제 죽을까, 생각 중이었는데 저 녀석, f.c와 미친 것 같을 정도로 교감을 잘하는, 바로 저 녀석이라면 미래가 보일지도 모르겠네."

"뭐 아직 불사조에 비하면 발톱만도 못하지만 말이야."

"어떻게 하면 더 강한 힘을 낼 수 있을까요?"

"뭐 답은 하나지. f.c 에너지를 우리가 원하는 대로 방출할 수 있는 개체는 저 페가수스 뿐이잖냐. 그러면 저 녀석의 f.c 에너지의 통을 더 늘리는 수밖에 없지, 뭐."

"'f.c의 에너지를 늘린다'라…. 재미있는 발상이네, 올리브."

"그래, f.c 에너지를 뭐, 이상 현상이나 f.c에서 추출해서 페가수스에게 받아들이게 하는 거야. 이 방법이면, 불사조 녀석과 대응할 정도로 성장할 수 있을 거야."

"혹시 위험하지는 않을까요?"

"모든 일에는 위험이 따라오는 법이에요. 페가수스가 f.c 에너지를 받아들이지 못해 탈진하는 경우가 발생할 수도 있고, 애초부터 f.c 에너지를 찾으러 다녀야 하니 많은 위험에 노출될 겁니다. 이 계획에는 당신의 의사가 가장 중요하다고 볼 수 있어요."

"오늘 하루 동안만 고민할 시간을 조금만 주세요."

"…그래."

우리는 이 주제에 관한 대화를 마친 뒤 저녁 식사 준비를 했다. 저녁 식사를 준비하고, 저녁을 먹으며 올리브와 많이 친해졌고, 올리브와 내가 동갑인 것도 알게 되었다. 그래서 서로 말을 놓기로 했다.

밤이 되고 리오르와 함께 산책하였다. 그리스의 밤은 아름답지만은 않았다. 이상 현상의 영향이 적다고 좋은 것만은 아니었다. 그리스에 처음 올 때야 올리브의 집으로 빠른 속도로 들어가 알지 못했지만, 저녁을 준비하고 먹으며 여러 큰소리가 났다. 불안에 휩싸인 시민들이 일으키는 폭동이나 각종 범죄가 일어나는 소리일 것이라는 생각이 들었다. 리오르와 산책하며 주변을 자세히 둘러보니 멀쩡한 집을 찾기가 어려울 정도였다.

"리오르, 평화로운 삶이 소중하다는 것을 다시 한번 느끼는 것 같아. 나는 솔직히 너와 함께 소중한 삶을 되찾고 싶어. 리오르, 매우 힘들지도 몰라. 안 좋은 경우에는 우리의 미래가 사라질지도 몰라. 괜찮겠니, 리오르?"

"(히이이잉)"

리오르는 발을 굴렀다.

"리오르 혹시 승낙하는 거야? 진짜로?"

리오르는 계속해서 발을 굴렸다.

"고마워 리오르."

마구간에서 일하며 알게 된 것 중 하나인데 말은 기분이 좋을 때 입을 뒤집는다는 것이다. 나는 리오르를 껴안으며 한참 동안 울었다.

f.c 에너지를 받아들이기로 결정을 내린 뒤 올리브의 집으로 돌아가 결정을 말했다.

올리브와 리사 박사님은 기뻐하며 힘든 결정을 해주어 고맙다고 말하였다.

올리브는 신이나 노래를 부르며 내일 당장 출발하자고 하였고, 박사님은 너무 성급한 결정이라며 조금 계획을 철저하게 세우고 가도 모자란다고 주장했다. 결국, 올리브와 박사님은 또다시 싸우기 시작했고 둘은 전보다 더 빨리 흥분하여 물건을 집어 던지기 시작했다. 그런 그 둘을 살펴보고 있었는데, 갑자기 너는 어떻게 생각하냐며 나에게 불똥이 튀었다. 내가 '그래도 빨리 가서 빨리 끝내는 것이 좋지 않을까요.'라는 의견을 내자 올리브는 환호했고, 박사님은 너까지 왜 그러냐며 짜증을 계속 내셨다.

내일이 밝고 올리브는 우리의 목적지를 설명했다.

"처음으로는 어렵겠지만 메두사가 좋을 것 같아."

"메두사?!?! 그 보면 돌로 변하게 한다는 메두사 말하는 거야?!"

"그래 맞아. 메두사는 신화에 따르면 먼 서쪽 섬에 있지. 마침 3개월 전 이 이상 현상이 나타나고 갑자기 지중해 서쪽에 작은 섬 하나가 생겨나 드론을 통해 조사해 봤는데, 섬에 도착하자마자 보인 건 뱀의 하반신, 인간의 상반신을 가지고 독사를 머리카락으로 가지고 있는 영락없는 메두사의 뒷모습이었거든. 뭐, 앞모습을 봐도 메두사를 잡은 페르세우스처럼 거울을 통해 메두사의 얼굴을 보는 건 문제없겠지만 말이야."

"뭐 일단 출발하자고."

"잠깐, 계획 정도는 세우고 가야지."

"가면서 정해도 충분해. f.c 에너지의 파장이 많지 않았으니 첫 경험으로 충분할 거라고 판단한 거라고. 그러니 그렇게 어렵지는 않을 거야. 자, 그러면 지중해로 출발~"

그러면 안 된다는 리사 박사님의 잔소리가 계속되었지만, 우린 지중해로 나아갔고 메두사의 섬에 도착하기 전까지는 아무 일도 없을 거라 생각하였다.

하지만 그것은 우리의 절대적인 오만에 불과하였다.

갑자기 날씨가 흐려지다니 엄청난 비바람이 불었다.

"태풍의 평균 풍속이 33m/s인데 지금 바람은 100m/s를 훨씬 웃돌잖아."
이 말을 마지막으로 올리브와 박사님과 교신이 끊겼다. 물론 나도 상황이 좋지는 않다. 리오르도 지친 것 같고, 앞에는 아무것도 보이지 않는다.

머리가 멍해질 때, 내 눈앞에 거대한 파도가 보였다.

"…………"

까악까악- 까악까악- 갈매기 소리가 나를 깨웠다. 모래사장? 내 옆에는 리오르가 모래에 반쯤 묻혀있었다.
다행히 흔들어 깨우니 리오르는 멀쩡하게 일어났다. 그리고 주변을

둘러보는데

"어…? 뭐야…. 이런 게 있을 리가…."

눈 앞에 펼쳐진 건 끝없는 미로와 그 미로의 단 하나의 입구만이 보였다.

한참 동안을 무기력하게 멍하니 서 있었다. 그러다 내린 결론은 일단 모래사장에서 리사 박사님과 올리브를 찾아보자는 것이다. 리사 박사님과 올리브가 나와 비슷한 곳에서 그리핀과 함께 떨어졌다고 가정한다면, 분명 이 모래사장에 있을 테니.

모래사장을 30분쯤 걸었을까, 멀리서 그리핀의 실루엣이 보였다.

"올리브, 리사 박사님."

30분 동안, 내가 아무도 모르는 곳에 혼자 떨어져 평생 혼자 살게 될 운명일지도 모른다는, 무서운 생각을 했다.

"건우야!! 김건우!!"

박사님과 올리브의 목소리가 차례로 들렸다. 우리는 기쁨의 재회를 해내었다.

박사님은 올리브에게 이곳이 어디인지 알겠냐고 물었다.
올리브는 이곳이 GPS가 안 되지만 f.c 에너지의 영향을 받은 크레타섬일 것이라고 하였다.

우리 둘 다 모르겠다는 눈빛을 보이자, 올리브는 친절히 하나하나 설명해주었다.

"우선 우리는 지중해를 날아가고 있었고 지중해에는 크레타라는 섬이 있지. 그리고 그 섬에는 미노타우로스라는 괴물을 가둔 미노타우로스의 미궁이 있었는데, 한 번 들어오면 빠져나오지 못하게 하는 철저한 미궁으로 알려져 있었어. 물론 그리스·로마 신화 속의 이야기이지만…."

"미노타우로스 미궁이라…"

나는 뭐가 있을지 모르는 바로 앞, 미궁으로 들어가는 편이, 정상적인 바다가 아닐지도 모르는 곳으로 나가는 것보다 낫겠다 싶어 두 박사에게 그 의견을 내었다. 그리고 그들은 내 의견에 동의했다.

"같은 생각이야. 미노타우로스의 미궁은 해결책이 존재해. 우리는 그걸 쓰기 딱 좋은 조건이거든."

"올리브 무슨 방법인데?"

"미노타우로스의 미궁에는 높은 곳에는 창문이 있어 뭐 f.c 에너지를 받아 약간 조건이 변형되었을지도 모르지만, 창문을 통한 탈출은 그리스·로마 신화에도 기록된 만큼 분명 이용할 수 있는 부분이 있을 거야."

"중요한 것은 미노타우로스인데 내 생각에는 한 번쯤은 마주칠 수밖에 없을 것 같거든. 뭐, 제압해 내서 f.c 에너지를 추출하면 좋겠지만, 그리스·로마 신화에서도 꽤 강한 것처럼 묘사가 되니 충분한 대비를 하는 게 좋을 것 같아."

"웬일로 무식하게 돌진하지 않고 대책을 세우냐?"

"내 맘이거든.

박사님과 올리브가 또 싸울 것 같아 나는 화제를 돌려 의견을 내었다.

"잠깐 둘 다… 그러면 이렇게 해보는 게 어때?"

우리는 미노타우로스에 대한 해결책을 찾기 위해 이야기를 하였고 나의 방법을 채택하기로 결정했다. 나는 힘껏 문을 열었다. 미궁 안으로 들어가 30분을 걸었을까. 아무 일도 일어나지 않아 긴장이 느슨해지려던 찰나
"덜컹, 드르륵 쾅. 드르륵 쾅."
미궁이 변화하기 시작했다. 미궁의 벽이 움직이고 바닥이 갈라지며 미궁의 지형 전체가 변화하였다. 미궁의 변화가 끝나고 우리의 앞에 서 있던 건 머리가 사나운 소의 모습이고 몸은 사람의 모습인 괴물 미노타우로스였다.

미노타우로스는 우리를 보고 사람으로 인식하자마자 들이받으며 주먹을 휘둘렀다.
우리는 다행히 침착하게 모든 공격을 뒤로 물러나며 피해냈다. 미노타우로스는 점프를 뛰어 우리에게 다가와 주먹을 휘두르려고 하였다.
녀석은 우리에게 접근하기 위해서 점프를 뛰었다. 이때, 나는 리오르에게 f.c 에너지를 이용한 강풍을 만들어 내는 것을 명령하였고 녀석은 공중에서 갑작스러운 강풍에 중심을 잡지 못하고 넘어졌다. 박사

님은 그 기회를 놓치지 않고 그리핀에게 명령하여 넘어져 정신을 못 차리는 녀석의 두 눈을 발톱으로 베어 버리게 했다.

녀석은 앞이 안 보이자 흥분하며 날뛰기 시작했다.

하지만 녀석은 아무것도 안 보이는 상황에서 흥분한 것뿐이다. 나는 리오르에게 발굽을 녀석의 머리를 노리라는 명령을 하였고, 리사 박사님도 동시에 공격 명령을 내렸다. 잘 해결하여 다행이라고 생각하던 순간 녀석이 소리를 들은 것인지, 우연인지는 몰라도 그리핀의 공격을 옆으로 피하며 심장에 꽂혀야 할 그리핀의 발톱이 녀석의 옆구리를 스쳐 지나갔고 녀석의 얼굴을 가격해야 할 리오르의 앞발은 녀석의 뿔을 맞추어 뿔을 부러뜨리는 것에 그쳤다.

그리핀과 리오르를 지나친 녀석은 우리를 향해 주먹을 날렸고

"퍽"

"쾅"

내 눈앞에서 올리브가 날아갔다.

"이런 미친 소 새끼가!!"

무슨 용기인지는 나도 모른다. 나는 녀석에게 달려가 역린의 비늘을 녀석의 목에 내리꽂았다. 녀석의 목은 비늘이 꽂히며 반쯤 찢어졌고 녀석은 고통스러워하며 뒤로 쓰러졌다.

"올리브 정신 차려봐 이 멍청이야."

녀석을 쓰러뜨리고 뒤를 돌아보니 박사님이 올리브의 상태를 보고

있는 것 같았다.

　30분 정도 뒤, 다행히 올리브는 눈을 떴다. 박사님의 간단한 진찰로는 다행히 장기에는 문제가 없지만, 갈비뼈 3개가 부러졌다고 했다.

　"올리브 정신이 들어??"

　"으악…. 헉 엄청 아프네. 나 얼마나 기절했어?"

　"한 30분 정도. 그보다 너 괜찮냐?"

　"다행히 죽을 정도는 아니긴 하네. 조금 있으면 걸을 수 있을 것 같아."

　"올리브 무리하지 마. 너 갈비뼈가 3개나 부러졌어. 다행히 장기에 손상이 없어서 다행이지 큰일 날 뻔한 거라고."

　"자 일단 진통제부터 먹어. 꽤 좋은 거니까 통증이 거의 사라질 거야. 물론 상처가 낫는 것은 아니지만….."

　올리브가 진통제를 먹고 우리는 3시간 동안 휴식을 취했다. 그동안 미노타우로스 f.c 에너지를 박사님이 만드신 추출 기계를 통해 추출하여 리오르에게 옮겼다. 엄청난 일이나 반응이 일어날지도 모른다고 생각했는데, 딱히 별일은 일어나지 않았다. 휴식을 취하니 올리브도 상태가 좋아진 모습이었다.

　"쾅 드르륵 쾅 드르륵"

"지형이 다시 바뀌기 시작하네."

지형 변경이 끝나고 우리 위에는 뻥 뚫린 창문이 있었다.
"저게 그 탈출 루트 중 하나인 창문인 거지?"

"그런 것 같네."

우리는 천장에 있는 창문 위로 날아올랐다. 우리가 날아오르자, 우리에게 보인 풍경은,

"여긴 크레타잖아."

황당하게도 미궁을 나오니 보이는 곳이 크레타였다. 황당하여 아래의 미궁을 내려다보니 미궁은 없고 크레타의 땅만이 보였다. 이 광경을 본 우리 셋 모두 짜증과 황당함을 섞어 말하는 말을 하였다. 우리는 이런저런 이야기를 하며 크레타에서 잠시 쉬기로 했다.

"여기는 아무도 안 사는 폐가 같네."

"오늘은 여기에서 자고 내일 메두사 잡으러 가는 거 어때."

"올리브, 그렇게 다쳐 놓고는 무슨 소리야 절대 안 돼."

"괜찮아 약만 잘 먹음 아무 문제 없잖아"

"문제가 없기는 일단⋯."

　　　　　　　　[A5]하루의 잔상_개문동.hwp

"아 몰라."

이런 무관심한 태도에 박사님은 화를 냈고 올리브 역시 박사님의 말을 무시하며 싸움이 터지기 일보 직전이었다.

"메두사를 잡는데 서두르는 이유가 뭐야. 올리브 네가 이렇게 무리하는 이유는 다 있을 것 아니야."

중재하기 위해서 겨우 떠올린 말이었다.

"하…. 오늘 겪은 대로 유럽에도 이상 현상이 퍼지고 있어. 이 상황이 계속되면 우리가 감당할 수 있는 선을 넘을 거야. 그러니 하루빨리 f.c 에너지를 리오르에게 흡수시켜 저 망할 불사조와 이 현상을 끝내야지."

"…… 아무리 그래도."

"그러면 내일 출발하기로 하는 거야."

그 이야기를 끝으로 우리는 잠을 청했고, 나는 피곤했는지 눕자마자 잠에 들었다.

다음 날 아침, 올리브가 시끄럽게 노래를 부르는 소리를 들으며 일어났다. 분명 갈비뼈가 부러지면 숨쉬기도 힘들다는데…. 그 진통제는 정말 여러모로 대단하다.

올리브 옆에 계속 있어 영향을 받은 것인지 나 또한 텐션이 올라갔다. 이런 모습을 박사님께서는 못마땅하게 보시긴 했지만 말이다.

우리는 크레타에서 올리브가 찾았다는 서쪽 섬을 향해서 날아갔고 딱히 오래 걸리지 않아 도착했다.

메두사가 있는 섬에 거의 도착하자 우리는 올리브의 물건 중 하나인 카메라로 된 안경을 착용하였다. 메두사는 직접 눈으로 보는 것이 아니라면 돌이 된다는 위협을 겪지 않아도 되기에 카메라로 메두사의 형상을 미리 촬영하고 그 모습을 보여주는 안경이 효과적일 거라는 분석이었다. 그리고 메두사의 f.c 에너지가 적다는 올리브의 분석으로 우리는 메두사의 독만을 조심하면서 상대하기로 결심하며 메두사의 섬 안으로 진입하였다.

"너희는 누구냐…."

갈라지는 여성의 목소리가 들렸다 흉측한 눈과 창백한 여성의 얼굴 보기만 해도 소름이 끼치는 몰골이다.

"대답해라 너희는 누구냐……."

우리는 메두사의 말을 무시하며 녀석의 목만을 노리고 돌진하였고 그 결과는 최악이었다……

우리의 예상 안의 수준이기는 했지만, 메두사는 꽤 날렵했다. 거리가 멀기는 했지만, 녀석의 말을 무시하며 기습적으로 한 공격을 단번에 피한 모습을 보며 알 수 있었다. 녀석의 얼굴을 돌아보자, 녀석은 미친 듯이 웃고 있었다. 녀석의 웃는 모습을 3초 보았을까. 시야가 갑자기 좁아지며 한순간에 주변이 새하얀 안개에 휩싸였다.

[A5]하루의 잔상_개문동.hwp

"콜록…콜록…."

목이 갑자기 따가웠다. 갑작스럽게 심한 두통이 찾아왔다.

"독무?"

박사님의 희미한 목소리가 들렸다. 그 말을 들은 나는 빠르게 리오르 위에 올라탄 후에, 폭풍을 일으키라는 명령을 내렸다. 그 사인과 동시에 독무를 한꺼번에 날려버릴 만한 바람이 리오르의 날갯짓에서 나왔고 희미했던 앞은 환해졌다. 환해진 앞에 우리를 반겨주는 건 3마리의 메두사였다….

"환각이 보이는 건가, 메두사가 3마리라니…."

허탈한 말투의 박사님의 말이 끝나자마자, 3마리의 녀석들은 우리를 향해 돌격해 왔다. 사냥하러 온 포식자인 우리가 피식자가 된 모습이었다.

30분쯤 지났을까. 나와 리오르 박사님과 올리브 그리핀 모두 피투성이가 되었다. 반면에 녀석들은 우리와 달리 지친 내색하나 하지 않았다.
우리를 말려 죽이려는 것인가, 아니면 가지고 노는 것인가. 우리는 생사를 가르는 전투를 하고 있는데 녀석들은 키득대며 우리를 가지고 노는 것 같은 모습이 미치도록 화가 났지만, 마음을 진정시키며 1분 1초를 버텨내고 있었다. 박사님의 그 한 수를 위해서 말이다.

박사님은 신호를 주었고 그와 동시에 녀석들이 돌진했다. 우리는 녀석들의 공격을 막아내지 않고 일제히 우리를 향해 돌격하는 3놈 중한 놈에게 돌진했다. 녀석은 우리의 돌진에 놀라며 회피하고자 했지만이미 가속이 붙어 방향을 회전하지 못하는 것처럼 보였다. 마침내 리오르의 발굽과 그리핀의 발톱이 녀석에게 닿았고, 그 순간에 우리는녀석의 심장을 멈추게 하는 것에 성공했다.

그 모습을 본 다른 두 녀석은 꽤 당황한 것처럼 보이더니 이제까지는 볼 수 없던 진지한 표정을 하며 저주를 퍼부었다. 그러며 이성을잃은 듯 우리를 향해 빠른 속도로 돌진해 왔다. 빠른 속도에 우리는피할 수는 없었고, 나는 역린의 비늘로 녀석을 저지하는 것에 성공하였지만, 고개를 돌리니 메두사의 뾰족한 손에 복부 일부를 관통당한그리핀의 모습이 보였다. 나는 빠르게 방패에 붙어있는 메두사를 밀어낸 뒤 비늘을 있는 힘껏 던졌다. 비늘은 그리핀의 복부를 관통하고 실실 웃고 있는 메두사의 목에 꽂혔다. 비늘이 목에 꽂힌 것을 확인하자마자 나는 고개를 돌려 리오르의 고삐를 당겨 밀어둔 뒤, 다른 자신의죽음을 보고 분개하는 녀석의 발굽으로 밟아버리려 했지만, 독무의 영향일까. 갑자기 눈동자의 초점이 흔들리며 방향의 조절을 완전히 실패하였다.

눈의 초점을 잡았을 때, 내 눈앞에서 사라진 녀석은 고개를 돌리니올리브의 앞에 서 있었다. 피가 튀었다. 내가 태어난 뒤 본 가장 잔혹한 피였다. 그 피를 흘리고 있는 건 참된 어른이었다. 등에서 복부까지 완전히 관통당했다. 그녀의 복부에서 팔이 튀어나왔다.

"리… ㄹ…. 리사 이모."

올리브의 말이 끝나자마자 박사님의 목에 손이 꽂혔다.

잔혹했다.

박사님은 고통스러워하며 끝내 고개를 숙였다. 박혀있던 팔을 뽑으며 미쳤다는 듯이 웃음을 지었다. 뭐가 재미있는지 이해할 수 없었다. 아니, 아무 생각도 할 수 없었다.

정신을 차리고 내가 깨달은 것은,

바로

웃고 있던 녀석의 얼굴을 비늘로 찍고 있었다는 것이었다.

너무나도 허망했다. 모든 일이 해피엔딩으로 끝나는 것은 아니었다. 그러나 나는, 안일했다. 계속 이겨내니 내가 뭐라도 된 것 같아, 자만했다. 지식적으로 쓸모없는 난 동료도 지키지 못했다. 박사님은 올리브를 지켰지만, 나는 박사님을 지키지 못했다. 누구보다 우리를 위하던 그분은 유언 하나 남기지 못하고 하늘의 별이 되셨다.

눈의 초점이 흔들리며 눈앞이 흐려졌다. 눈을 비비고 비벼도 계속 흐려져 앞이 보이지 않았다. 다시 한번 눈을 비벼 앞을 잠시 보니 실성한 채로 눈물을 흘리고 있는 올리브의 모습이 보였다. 그 모습을 보며 나도 저런 모습이라는 것을 자각했다.

"쾅…. 쾅. 쾅"

바닥에 얼굴을 박으며 겨우 제정신을 찾을 수 있었다. 그리고 박사님의 시체 앞에서 보며 나는 맹세했다.

"…… 박사님… 내가 죽는다고 하더라도 당신이 하고자 했던 과업 제가 꼭 해내겠습니다. 그러니 편하게 쉬세요….''

그 뒤 주위를 조금 둘러보니 새하얀색이던 리오르가 선홍색이 되어 있었다. 올리브가 제정신을 찾는 동안 나는 그리핀을 치료했다. 1시간 쯤 지났을까. 올리브도 정신을 차리고 주변을 살피고 빨간색 털을 가진 리오르를 본 뒤, 그리스·로마 신화에 따르면 페가수스는 메두사의 피를 통해 만들어졌다는 사실을 말해주며, 그러니 뭔가 더 영향을 주어 털색이 변한 것 같다고 설명해 주었다.

설명하는 올리브는 아주 차분했지만, 눈빛은 나와 같이 무언가를 결심한 눈빛이었다.

우리는 그리스 올리브의 집으로 돌아간 뒤 밤새도록 완전한 사태 해결 방법에 대해 논의했고 계획했다. 그리고 우리는 다음날 선홍색으로 털색이 변한 리오르의 힘과 체형을 분석하였는데 결과는 상당히 놀라웠다. 올리브의 말에 따르면 f.c 에너지가 5배 이상 올라갔고 근육의 밀도 또한 3배~4배 정도까지 증가하였으며 가죽의 굉장히 두꺼워져 역린의 비늘에 비교할 만큼 단단해졌다.

그날 밤, 우리는 앞으로의 계획을 마무리 지었고, 다음 날 아침부터 5년간의 계획을 시작했다.

[5년 후]

우리는 5년 동안 여러 준비를 하였다. 예티, 레비아탄, 골렘, 인면조, 히드라 등등을 잡으며 리오르의 f.c 에너지를 극한으로 증가시켰고, f.c들의 사체에서 f.c의 힘이 깃들어 있는 부분을 떼어내 사용할 수 있는 물품으로 만들어 사용하였다. 마침내 우리는 출발 준비를 마쳤고 5년 전에 보았던 후지산으로 출발하였다.

5년이라는 시간은 확실히 길었던 것 같다. 나의 고향 한국 상공위에 도달하였는데 기온이 50도가 넘어갔다. 불사조는 계속하여 무한한 에너지를 방출했다. 다행히 예티의 가죽으로 만든 코트가 냉기를 항상 적절히 방출해 주어서 온도 때문에 후지산에 접근도 못 하는 일은 일어나지 않았다.

일본열도에 들어섰다.

기온은 80도 정도에 육박했다. 현상의 일부인지는 모르겠으나, 용암이 아직도 흘러나오고 있었다. 후지산과 점점 가까워져서 이제는 후지산을 한눈에 담지 못할 정도가 되었다. 얼마 안 가, 우리는 후지산의 하단부에 도착하였고, 가장 빠른 속력으로 정상을 향해 질주하기 시작했다. 조금 올라가자마자 많은 양의 불타는 돌덩이가 떨어져 왔지만, 5년의 숙련으로 피해내는 데에는 큰 문제가 없었다. 올라가면 올라갈수록 옆에서 이야기하는 올리브의 소리가 잘 들리지 않을 정도의 큰 굉음이 주변을 감쌌다.

중반부쯤 올라왔을 때는 검은 색의 빽빽한 화산재가 우리를 맞이했다. 그 화산재 안에서 돌덩이를 모두 피하는 것은 과거라면 불가능이었겠지만 나는 역린의 비늘을 가지고 있고, 리오르는 용암에도 끄떡없는 두꺼운 가죽을 가지고 있고, 올리브는 히드라의 이빨들로 만든 창을 가지고 있고, 그리핀은 레비아탄의 비늘로 만든 갑옷을 가지고 있으니, 큰 위협은 되지 않았다.

얼마나 올라갔을까.

자욱한 화산재의 안개가 걷히고 후지산의 꼭대기에 결국 우리는 도착하였다. 그런 우리 눈앞에는 마침내 용암이 계속 분출되는 화산 앞에서 계속 서 있는 불사조가 보였다.

우리가 후지산으로 오기 전 유일하게 걱정한 것은 주변에 에너지에 가려 불사조의 f.c 에너지를 파악할 방법이 없다는 것이었다. 그렇기에 추정치를 잡고, 그 추정치를 우리가 훨씬 웃돈다고 파악이 되어 작전을 시행한 것인데 지금 내가 느끼고 있는 것과 올리브의 표정을 보면 추정이 상당히 잘못되었음을 알 수 있다.

"…… 추정치의…10배….."

주변에 굉음이 심해서 크게 말하지 않으면 거의 들리지 않았는데 저 말은 이상하게 정확히 들렸다. 뭐, 이번에도 추정이 맞을 거라는 안일한 생각은 하지 않았다. 5년 전의 일을 되풀이하는 시간을 가지고 싶지는 않았으니까…. 하지만 이건 좀 심각하다. 리오르야, f.c에너지를 흡수하며 강해져 어떤지는 모르겠으나, 나는 몸을 움직이기 매우 힘든 것은 물론, 정신을 똑바로 잡지 않으면 바로 기절할 정도로 힘이 들었다….

올리브 쪽을 쳐다보니 올리브와 그리핀 모두 정신을 잡는 것도 힘들어 보였다. 우리는 이곳에 오기 전 이 세계를 완전히 되돌릴 방법을 찾지 못했다. 올리브의 추측으로는 후지산에 가서 연구를 해보아야 알수 있다고 하였는데 후지산에서 자유로운 연구를 위해서는 불사조의 처리가 우선이었다. 올리브는 많은 고민을 하였지만. 무한히 되살아나는 불사조를 제거하는 것은 거의 불가능이었다. 그러나 다시 땅에 넣어 버리는 것은 가능할지도 모른다고 생각했던 모양이다. 실제로 여러 번의 시뮬레이션 결과를 통해 가설이 실행 가능하다는 것을 증명하였다. 물론, 추정치도 10배나 벗어났기에 시뮬레이션도 옳은 결과였을 거라고 확신할 수만은 없었다. 그러나 여기에서 돌아갈 수도 없었다.

준비한 계획을 실행하는 것만이 사는 길이고, 한 걸음 나아가는 길이다.

불사조는 공중으로 솟구치더니 불타는 깃털을 화살 비처럼 쏟아부었다. 깃털 비 하나하나를 비늘로 막을 때마다 강한 충격이 들어왔고 너무 많은 양이라 피하지도 못하기에 오래 버티지는 못할 것 같았다. 최대한 빠르게 계획을 진행해야 한다. 하지만 내가 겨우겨우 버텨내고 있는 반면에, 올리브와 그리핀은 이미 많은 상처를 입은 것으로 보였다. 그 순간 깃털을 창으로 막으며 생긴 충격에 올리브가 균형을 잃고 그리핀의 등에서 떨어졌다. 떨어지는 올리브의 눈은 체념한 듯 보였다.

"정신 차려, 포기하지 마!"

다행히도 올리브를 늦지 않게 낚아챈 뒤 그리핀의 등에 다시 올려 놓았지만, 올리브를 구하는 과정에서 깃털을 하나도 막아내지 못해 꽤 깊은 여러 상처가 생겨났다. 올리브를 올려주며 최대한 빨리 계획을 시작하라는 말을 전했다. 올리브는 그리핀에 탄 뒤 결심한 듯 피닉스의 위치까지 그리핀과 최고 속력으로 올라갔고 나도 리오르와 함께 뒤따라갔다. 올리브는 불사조와 최대한 가까운 위치에서 히드라의 창을 던지었고, 불사조는 움직이지 않고 깃털만으로 막아 내려는 듯 보였다. 창이 깃털에 막히려는 순간, 밑에서 돌풍이 깃털을 휩쓸고 지나갔고 창은 불사조의 심장에 정확히 꽂혔다. 히드라의 이빨로 만든 창은 매우 강한 극독을 가지고 있었고, 그 독은 불사조에게 신체적인 피해는 주지 못하여도 움직임을 잠시 멈추는 데에는 효과를 보였다. 올리브는 자신의 예티의 가죽 코트와 그리핀의 레비아탄의 갑옷을 벗긴 뒤, 나에게 던져주고 후지산을 빠른 속도로 빠져나갔다.

나는 리오르에게 레비아탄의 비늘로 만든 갑옷을 입히고 예티 가죽 코트로 내 몸의 모든 부분을 감싼 뒤 멈춰 있는 불사조를 리오르의 발굽으로 모든 f.c의 에너지를 담아 내려찍으며 화산 안으로 밀어 넣었다. 화산 안으로 들어가니 온몸이 타들어 가는 기분이었다. 아니, 사실은 정말로 타고 있는 것일까. 화산 안에는 용암이 나오는 여러 개의 뿌리가 있는데 내 몸이 불덩이가 되었다고 느낄 때쯤 화산의 뿌리에 닿았고, 불사조를 내버려 둔 채 뿌리의 시작점으로 올라와 시작점 주변의 지각을 부숴 뿌리를 막았다.

성공인가, 라는 생각이 들 때 화산이 흔들렸다. 필시 불사조가 다시 나오려는 몸부림이었으리라. 지각이 들리며 흔들릴 때마다 리오르가 발굽으로 찍으며 눌렀다. 이미 녀석에게 쌓인 지각의 무게가 있기 때문에 이 짓을 계속 반복하면 분명 녀석이 다시 잠에 들 것이다. 하지만 숨이 점점 부족해졌다. 내가 숨을 보통 기절 직전까지 참는 것은 8분 정도로 보고 리오르는 20분 이상이다.

올리브는 녀석이 잠드는데 3분을 예상했는데 벌써 녀석이 묻히고도 4분이 지났다. 내려오는 데 2분이 걸렸으니, 약 2분 더 참을 수 있다. 만약 내가 녀석을 재울 동안에 기절한다면, 리오르는 f.c 에너지를 더는 특수하게 이용하지 못하고 계획은 실패로 끝날 것이었다.
약 1분 남았다…

"쿵…… 쿵……………"

"끝났다……."

눈을 떴을 때는 올리브가 내 앞에 있었다. 올리브에게 전후 사정을 물어보니, 리오르가 기절한 나를 등에 업은 채로 우리가 만나기로 했던 장소인 베이징까지 왔다고 하였다. 올리브는 불사조에 관해 물었고, 나는 기억 속의 이야기를 모두 해주었다. 모든 이야기를 들은 올리브는 울음을 터뜨리며 고생하였다고 안아주었다. 그때 갑작스러운 고통이 밀려들어 왔다. 내 몸을 살펴보니 대부분이 붕대에 감겨 있었고, 전신이 심한 화상을 입은 것으로 보였다. 그리고 옆을 둘러보니 나보다 리오르가 훨씬 심한 화상을 입은 것으로 보였다. 올리브와 그리핀도 아무 장비 없이 후지산을 빠져나가느라 많은 화상을 입은 것으로 보였다. 그때 상공에서 큰소리가 나며 여러 색깔의 빛들이 후지산으로 빨려 들어가고 있었다. 그러면서 놀라운 일이 발생했다. 베이징 주변에 있던 숲이 도깨비불로 인해 불타고 있었는데 불꽃이 하늘로 솟구치더니 빛으로 변하여 후지산으로 빨려 들어갔다. 전 세계로 날아간 f.c 에너지들이 불사조가 잠이 듦과 함께 땅속으로 되돌아가고 있는 것 같다고 올리브가 설명해주었다.

"잠깐."

뒤를 돌아보니 리오르가 페가수스가 아닌 평범한 말이 되어 있었다. 평범한 말이 된 리오르는 심한 화상에 상당히 고통스러워하는 것으로 보였다.

"오…. 올리브 리오르 괜찮겠지~?"

"………"

"괜찮냐고……"

이 말이 끝나자마자 리오르는 숨이 가빠지더니 고개를 숙였다.

"리…. 리오르 정신을 차려봐…좀 제발….."

"제발………."

"우리 꼬마 친구들 난 마구간을 운영하는 김건우 아저씨라고 하고, 말을 키우며 지내고 있어. 요즘 4차 산업이다, 하면서 농촌 생활을 하지 않으려는 게 특징이라는데, 농촌 생활만큼 조용하고 편안한 일이 없다고 이 아저씨는 생각하고 있어. 아내하고 애들하고 가족 행복하게 지내면서 시골 이웃 간에 정도 있고 여기처럼 사람 살기 좋은 곳이 없다는 거지. 너희 중에서도 농촌의 매력을 느끼는 사람이 분명히 있을 거야."

"아저씨! 그러면 마구간에서 아저씨가 가장 좋아하는 말은 뭐예요?"

"홈⋯. 글쎄다, 아저씨한테는 모두 다 자식 같은 아이들이라서."

⋯⋯⋯⋯⋯⋯⋯⋯⋯⋯⋯⋯⋯⋯⋯⋯⋯⋯⋯⋯.

⋯⋯⋯⋯⋯⋯⋯⋯⋯⋯⋯⋯⋯⋯⋯⋯⋯⋯⋯⋯.

⋯⋯⋯⋯⋯⋯⋯⋯⋯⋯⋯⋯⋯⋯⋯⋯⋯⋯⋯⋯.

"당신 아까 그 말 생각했지?"

"티 많이 났어?"

"내가 누군데 당신 얼굴만 보면 무슨 생각하는지 다 알지."

김태환   243

"옛날부터 궁금했던 건데 우리 어떻게 아직도 다른 언어를 하는데 말이 통할까?"

"글쎄다…. 흠…세상을 구한 선물 아닐까?"

"선물은 무슨. 그리핀 밥 시간 아니야? 오늘 밥 당신이 주는 날이 잖아. 또 밥 안 줘서 사육장 다 부숴 먹으면 나 진짜 이젠 몰라~"

"네네~ 갑니다, 가요."

작가의 말

강진영　김해리　최예명

고지원　유채원

강루치나　이은서　김태환

첫 번째 작가의 말

문학은 단순한 글쓰기 이상의 의미를 지니고 있습니다. 문학은 우리의 내면을 들여다보고 세상을 바라보는 시각을 넓혀주는 도구입니다.

이번 개문동에서 소설을 쓰며 많은 것을 느꼈습니다. 문학을 통해, 개문동 활동을 통해 나 자신과 타인 모두를 이해하는 소중한 시간을 가졌습니다.

각자의 다른 경험과 배경이 한 작품으로 모여 보다 다채롭고 풍부한 작품을 만들 수 있었습니다.

이 글을 읽는 모든 분들에게 감사의 마음을 전하며, 여러분의 문학적 여정이 더욱 빛나기를 소망합니다. 감사합니다.

-김해리
「여름과 가을의 추억을 간직한」 저자

[A5]하루의 잔상_개문동.hwp

두 번째 작가의 말

이 책을 처음 구상했을 때, 가장 궁금했던 것은 사랑이란 무엇인지에 대한 깊은 고찰이었습니다. 우리가 흔히 생각하는 사랑의 모습과는 다른, 조금은 특별하고 진정한 사랑을 탐구하고 싶었습니다. 그래서 이 이야기는 두 사람의 인연이 어떻게 아름다운 사랑으로 발전하는지를 중심으로 구성되었습니다.

이 소설의 주인공인 '세희'와 '원진'의 여정을 통해, 우리는 그들이 마주하는 도전과 갈등을 함께 겪으며 진정한 사랑이 무엇인지에 대한 답을 찾아가게 됩니다. 이들의 모든 순간은 제 마음속 깊은 곳에서 비롯된 감정이었으며, 이를 독자 여러분과 공유할 수 있어 큰 기쁨입니다. 사랑의 다양한 면모를 경험하시며, 여러분 각자의 삶에서 사랑을 어떻게 실천하고 이해할 수 있을지에 대한 영감을 얻으시기를 바랍니다.

이 소설을 창작하는 과정은 저에게 큰 도전이었고, 깊은 개인적인 성장의 시간이었습니다. 특히 '세희'를 그리면서 제 개인적인 경험과 감정을 많이 투입했습니다. 이 과정에서 많은 수정과 고민을 거쳤으며, 우리 개문동 부장님, 차장님뿐만 아니라 다른 멤버들의 도움과 지지가 없었다면 이 이야기는 지금과 같은 모습으로 완성되지 않았을 것입니다. 그들에게 깊은 감사의 말씀을 전합니다.

이 이야기를 읽으면서 여러분이 조금이라도 따뜻한 감정을 느끼셨다면, 그것만으로도 제게 큰 보람이 될 것입니다. 사랑의 힘과 아름다움이 여러분의 마음에 깊이 남기를 기원합니다. 여러분의 관심과 애정에 감사드립니다. 항상 동아리 분위기를 띄우려고 많이 노력했는데 그것이 여러분에게 닿았는지 잘 모르겠습니다. 1년 동안 정말 많은 일이 있었고 여러분 덕에 저도 한층 더 성장한 것 같습니다. 2024년 개문동을 영원한 추억으로 간직하며….

개문동 멤버 여러분 진심으로 감사했습니다.

부장님 항상 응원해 주시고 충고와 조언을 구분하며 우리 개문동을 잘 이끌어 나가주셔서 정말 감사드립니다. 부장님과 함께여서 정말 든든했으며 배울 점이 많아 존경스러웠습니다. 어깨가 많이 무거웠을 텐데 이제는 그 짐을 좀 내려놓고 편히 지내십쇼!

차장님 늘 한결같은 모습으로 재밌는 분위기로 만들어 주시고 질문했을 때 하나하나 자기 일처럼 같이 생각해주고 대화를 이끌어주셔서 정말 감사했습니다. 선배님의 밝은 성격과 에너지가 저에게 와닿은 것 같습니다.

그리고 다른 멤버들~ 1년 동안 정말 고생 많으셨습니다. 제가 워낙 텐션이 높아서 좀 힘들고 부담스러웠을 것 같은데 제 말에 귀 기울여 주시고 호응을 잘해주셔서 감사합니다.

여러분들의 아이디어 덕에 서로 많은 이야기를 나누며 정말 재밌었고 좋은 경험이었습니다.

마지막으로 시 한 편을 남기고 물러나도록 하겠습니다.

[A5]하루의 잔상_개문동.hwp

앞에 서서 내 모습을 바라본다
완벽하게 정돈된 외모 거울에 미소를 짓고
거울을 닫으려는 순간

어딘가에서 날카로운 시선이 귀를 잡아당긴다

무거운 비난의 말들보다
작고 여린 내 귀가 더 깊은 상처를 남긴다

가끔 나는
내 뒷모습까지 드러나는
신비롭고도 민망한 거울을 소유하고 있다

그 거울은 나를 비추며
내 안의 불안과 두려움을 드러내고
그 속에서 진정한 나를 마주하게 한다

어쩌면 이 거울이 나를 더 잘 알고 있는지도 모른다

-2024년 9월
리안
「바람이 스쳐 간 자리」 저자

세 번째 작가의 말.

사랑이란 건 정말 신기한 것 같습니다. 어제까지만 해도 가고 싶지 않던 학교가 오늘따라 가고 싶어지고, 잠깐이라도 마주칠 수 있다는 생각에 괜히 한 번 더 거울을 들여다보게 되고, 그러다 마주치게 되면 얼굴이 달아오를 듯 빨개지고, 보고 싶으면서도 마주치고 싶지 않은, 나의 마음을 나도 모르게 되는 그런 감정. 학창 시절 모두가 겪어본 적 있을, 때론 세상 가장 행복한 듯 웃고 때론 하늘이 무너져라 울고 하지만 지나고 보면 별거 아니라고 느껴질, 하지만 언제 다시 시작될지 모를 그런 감정. 그게 사랑 아닐까요?

내가 사랑하는 사람과 사랑을 이룰 가능성은 얼마나 될까요? 모두가 '세희'와 '원진'처럼 완벽한, 완전한 형태의 사랑을 할 수는 없을지도 모릅니다. 하지만 이 책을 읽는 모두가 그런 사랑을 할 수 있기를, 사랑이라는 가능성을 이룰 수 있기를 바랍니다.

-하온
「바람이 스쳐 간 자리」 저자

네 번째 작가의 말.

「여름과 가을의 추억을 간직한」을 쓴 사람 중 한 명입니다.
이 글을 쓸 수 있어 영광이었고 즐거웠습니다.
이 글이 살아가던 중 가끔씩 떠올라 잠깐이라도 당신에게 미소를
안겨주는 글이 되었으면 좋겠습니다. 읽어주셔서 감사합니다.

-고래
「여름과 가을의 추억을 간직한」 저자

다섯 번째 작가의 말.

「여름과 가을의 추억을 간직한」은 '가을'과 '백하', 두 고등학생의 특별한 우정을 중심으로 한 성장 이야기입니다. '가을'은 항상 부모님의 기대에 눌려 살며, 공부에만 집중하느라 자신이 정말 원하는 것들을 잊어버린 소녀입니다. 반면 '백하'는 언제나 밝고 명랑한 성격으로, 주변 사람들에게 긍정적인 에너지를 전파하는 여름의 상징과도 같은 존재죠.

이 두 인물의 만남은 우연이었지만, 그들이 서로에게 미친 영향은 결코 우연이 아닙니다.

'가을'과 '백하'가 처음 만난 곳은 버려진 낡은 책방이었습니다.

자신만의 아지트에 침입한 낯선 사람과의 만남이라 서로에 대한 첫인상이 좋지 않았죠. 그러나 이곳에서의 만남은 이후 서로의 삶에 큰 변화를 가져다주었습니다. '가을'은 '백하'의 도움으로 조금씩 자신의 감정을 표현하고, 진정한 자신을 찾기 위해 용기를 내기 시작합니다. 그 과정에서 '백하'는 '가을'이 자신을 더 잘 이해하도록 도와주며, '가을'의 마음속에 숨겨진 이야기들을 하나씩 꺼내줍니다. 그 결과 이야기가 진행될수록 두 사람의 우정은 더 깊어지게 되고 내면이 더욱 성장하게 되죠.

제가 이 이야기를 통해 강조하고 싶었던 것은 친구의 소중함입니다.

'가을'은 '백하'에게 항상 도움을 받기만 한 것처럼 보일 수 있지만, '백하'와 '가을'은 단순한 친구 그 이상이었습니다. 그는 '가을'이 자신을 사랑하는 방법을 배우도록 도와주었고, '가을'은 '백하'에게 진정한 친구가 되는 방법을 가르쳐 주었습니다. 특히 '신희'와의 갈등을 해결하며 '가을'은 자신의 감정을 솔직히 드러내는 법을 배우게 되었

[A5]하루의 잔상_개문동.hwp

고, 이는 그들의 우정을 더욱 깊게 만드는 계기가 되었죠.

이야기의 마지막에서 '백하'가 테니스로 유학을 떠나게 되면서 '가을'에게 본인의 마음을 솔직하게 고백하는 장면에서 '백하'에게 '가을'이 어떤 존재인지 확실히 부각시킬 수 있도록 노력했습니다.

이후 '가을'은 '백하'와의 소중한 기억을 가슴에 품고, 새로운 친구들과 함께 '백하'를 다시 만날 날을 기대하며 이야기가 끝이 나는데 이는 이별의 아픔과 새로운 시작에 대한 기대감이 함께 느껴지는 장면으로 첫 만남 이후 발전한 '가을'과 '백하'의 관계를 확실시하여 두 사람의 관계 발전의 가능성을 열어놓은 열린 결말로 마무리하였습니다.

저희들의 창작 소설을 책으로 출판하게 되어 정말 기쁩니다.

글을 쓰는 과정에서 부, 차장님들의 프린터들로 글쓰기에 대해 많은 것을 배웠고, 그 경험이 제 꿈인 웹툰 작가가 되는 것에 큰 도움이 되었습니다.

또한 부 활동을 통해 다양한 친구들과 협력하고 소통하며, 서로의 생각과 감정을 나누는 시간이 얼마나 소중한지 깨닫게 되었습니다. 특히, 친구들과 함께한 활동과 그 과정에서 느낀 점들이 글쓰기의 원동력이 되었다는 사실이 너무나도 기쁘고 이 이야기를 함께 만들어 준 친구들과 정성 어린 피드백들로 이야기의 완성도를 높여준 부, 차장님들께 고마웠습니다.

'가을'과 '백하'의 성장 이야기가 이 책을 읽으신 독자분들께도 감동을 주길 바라며, 이후 각자의 길에서 만나는 소중한 친구들과의 순간들을 기억하셨으면 좋겠습니다.

'백하'의 동화책처럼 힘든 순간에 여러분들을 다시 일어나게 할 원동력이 될 수 있게, 서로의 삶에 긍정적인 영향을 미치고 함께 성장해 나가는 여정을 소중히 여기셨으면 좋겠습니다.

언제나 변화하고 성장하는 우리 모두의 이야기가 계속되기를 희망합니다.

-최예명
「여름과 가을의 추억을 간직한」 저자

[A5]하루의 잔상_개문동.hwp

여섯 번째 작가의 말.

'투게더'는 제가 처음으로 써 본 판타지 소설입니다. 그래서 쓰는 내내 글에서 판타지 느낌이 날 수 있도록 애썼던 것 같네요.

사실, 이 글을 읽은 분들 대부분이 눈치채셨겠지만, '투게더'에서는 아직 다루어지지 않은 이야기들이 정말 많습니다. 갑자기 지구로 넘어온 환상의 생물들이나, '예현' 선배, 환상 사냥꾼 등등…. 방대한 세계관에 비해 '투게더'에서는 극히 적은 내용만 나왔었죠.

모든 이야기를 담아내고 싶다는 생각을 아예 안 한 것은 아닙니다. 잠깐만 쓰고 버리기에는 설정이 너무 아깝게 느껴지기도 했었죠. 하지만 전 이번에는 욕심을 버리고, 오로지 '소망'이와 '파이'의 우정 이야기에만 집중하기로 했습니다. 판타지적인 부분은 상상의 여지로만 남겨두는 것도 괜찮을 것 같았거든요. 결말 후에 일어날 '소망'이와 '파이'의 이야기 또한 상상에만 맡겨야 하는 건 마찬가지지만요.

앞으로 이 둘이 어떻게 살아갈지는 저도 독자분들도 모를 겁니다. 하지만 둘의 이야기를 쓴 사람으로서, 이것만큼은 확신을 가진 채 말씀드릴 수 있겠네요.

'소망'이는 행복을 다시 만났고, '파이'는 자신의 소망을 이루었으니, 이들의 삶에 후회는 남지 않을 거라고요.

부족한 부분이 많은 제 소설에 시간을 투자해주신 것에 감사 인사를 드립니다.

이 책을 읽으신 분들 모두 소중한 사람들과 함께 항상 행복한 하루를 보내시길 바랍니다.

-강루치나
『투게더』 저자

일곱 번째 작가의 말.

　우리는 이 우주 속에서 같이 살아가는 생명체고, 모두 소중한 존재라고 생각합니다. 그런데 소중한 서로에게 상처를 주고 살아가곤 합니다. 제 글의 인물들도 각자 다른 이유로 상처받고, 상처를 줘요. 사실 정말 다양한 생명체들이 모여 사는 이 별에서, 분쟁 없이 살아가는 건 불가능하지만, 서로 아끼며 살아가기만 해도 부족할 시간을 상처로만 가득 채우는 건 낭비라고 생각합니다. 저는 이 글의 인물들이 보여준 용서와 속죄 그리고 사랑을 배우고, 증오와 복수에서는 멀리 벗어나고 싶습니다. 이 세상을 살아가는 우리는 너무나 소중하니까요!

　그리고 개문동의 모든 분들 정말 감사합니다. 저의 열 일곱을 고마운 사람들과 보낸 것 같아요. 이렇게 좋은 추억을 쌓을 수 있다는 건 정말 행운입니다!

　마지막으로, 시간 나시면 인물들 이름의 뜻을 찾아봐 주시면 좋을 것 같습니다. 열심히 고민했거든요! 읽어주셔서 정말 감사합니다!

-이은서

「카이퍼 벨트」 저자

여덟 번째 작가의 말.

  이 삶 중 꿈이라는 작품을 쓰며 나의 삶에서 꿈과 같은 일이
벌어진다면 어떨까, 라는 생각으로 이야기를 구성해 나가며 이 글을
썼다. 꿈과 같은 일이 벌어지는 것을 글로 써 내려가는 것이기에
지금도 많이 유치해 보일 수 있지만, 초본에서는 더욱더 유치했다.
이러한 문제점이 잘 개선이 되었는지는 나도 잘 모르겠으나 꽤 많은
노력을 한 것은 사실이다. 그리고 이렇게 긴 글을 내 손으로 직접
써보는 것이 처음이고 쉽지는 않았으나 삶에서의 꿈과 같은
이야기에서 악몽과 행복한 꿈의 각각의 부분을 드러내려 노력했고
슬픔과 행복이 잘 공존하는 꿈을 잘 만들어 낸 것 같다는 생각이
든다. 다음에 다시 한번 더 글을 써볼 기회가 주어진다면 부족한
부분을 개선한 글을 써 내려가 보고 싶다.

-김태환

『삶 중 꿈』 저자